MW00527184

COLECCIÓN FÚTBOL

ENTRENAMIENTO EN EL FÚTBOL BASE

Programa de aplicación técnica –1er nivel– (AT-1)

4ª Edición

Por

Álex Sans Torrelles
César Frattarola Alcaraz

EDITORIAL PAIDOTRIBO

Dibujos: Josep Maria Ciprés Conesa

© 2000, Álex Sans Torrelles
    César Frattarola Alcaraz
    Editorial Paidotribo
    C/ Consejo de Ciento, 245 bis, 1.º 1.ª
    08011 Barcelona
    Tel. 93 323 33 11 – Fax 93 453 50 33
    E-mail: paidotribo@paidotribo.com
    http://www.paidotribo.com

Cuarta edición:
ISBN: 84-8019-067-1
Fotocomposición: Editor Service, S.L.
Diagonal, 332 – 08013 Barcelona
Impreso en España por A & M Gràfic

ÍNDICE

PRÓLOGO

Este libro es el fruto de años dedicados al estudio de la formación de los jóvenes futbolistas.

Durante este tiempo los autores han obtenido individualmente una gran experiencia a través del trabajo desarrollado en diferentes ámbitos y entidades de fútbol-base, del estudio de los planteamientos en los que se basa la formación del futbolista en distintos países y de las conclusiones obtenidas en la aplicación de propuestas propias de enseñanza.

A partir de este bagage personal se inició el trabajo en equipo de los autores, abriéndose un proceso de estudio e investigación en el que se relacionaban todas las características que deben tenerse en cuenta en la formación de un joven futbolista.

Parte del resultado de este estudio fue el diseño del programa AT-1.

En la finalización de este proceso se contó con la inestimable colaboración de Horst Wein que, con la aportación de su gran experiencia como profesor de Metodología y Didáctica en los deportes colectivos, ayudó a conformar el programa definitivo.

Para completar la estructura del Programa se tuvo en cuenta la propuesta de soluciones prácticas y concretas a los aspectos médico-preventivos y psicológicos que se le presentan de forma habitual a un técnico de Fútbol-Base, para lo que se contó con la participación de Eduardo Mauri Montero (Licenciado en Medicina), Jaume Rocha Ventosa (Fisioterapeuta), e Isabel Gázquez Pérez (Licenciada en Psicología).

Por último se inició la fase de aplicación del Programa, hecho que ha sido posible gracias al empeño y labor personales del Sr. Pere Montserrat (Vicepresidente de la Federación Catalana de Fútbol y Presidente del Comité de Fútbol Aficionado).

Esta fase de aplicación se está realizando con la participación de los técnicos J. Mª Gené, Josep Margui, Salvador Sagrera, Joan Palau, Francesc Folguera, Albert Benaiges, Ramón Valls y Ramon Capolat (miembros del Comité Técnico de Fútbol-Base de la F.C.F.), y de los que componen el área C.D.I.

Todos ellos, conjuntamente con los autores, están desarrollando el Programa de Renovación del Fútbol-Base catalán.

Este programa se está aplicando desde la estructura de la Federación Catalana de Fútbol, al frente de la cual se halla su Presidente el Sr. Antoni Puyol.

Por último señalar que el objetivo de este libro ha sido ofrecer una herramienta de trabajo práctica para el técnico, de forma que al exponer las diferentes acciones técnicas, tácticas y cualidades físicas, no se ha pretendido definir el concepto de las mismas sino concretar los objetivos que debe perseguir el entrenamiento de cada una de ellas.

EL FÚTBOL-BASE COMO PROCESO DE FORMACIÓN

La Aplicación Técnica del primer nivel (AT-1) es un programa que trata la formación del joven futbolista como un auténtico proceso formativo.

Su objetivo principal es que los jóvenes jugadores lleguen a dominar en la etapa de iniciación los fundamentos básicos del fútbol.

El programa AT-1 es además uno de los elementos que ha sido incorporado al Proyecto de Renovación del Fútbol Base Catalán, creado este último por el Comité Técnico de Fútbol-Base de la Federación Catalana de Fútbol.

La enseñanza del Fútbol, para considerarla como un proceso formativo, debe contemplar la existencia de diversos elementos:
– Un objetivo final del proceso
– Etapas de las que se compone
– Objetivos parciales que dan consistencia a cada etapa.

Si ponemos como ejemplo *la enseñanza de las matemáticas en la escuela*, observamos que estos aspectos están perfectamente determinados:

– *Objetivo final*

Dotar al alumno del conocimiento y dominio de todos los elementos que le permitan acceder al mundo profesional en su especialidad.

– Etapas de enseñanza

Educación Infantil (0-6 años)
Educación Primaria Obligatoria (6-12 años)
Educación Secundaria Obligatoria (12-16 años)
Educación Secundaria Postobligatoria (16-18 años)
Estudios universitarios (+ 18 años)

– Objetivos parciales

• *Educación Infantil:* aprendizaje del valor y significado de los números y dominio de su expresión gráfica.

• *Educación Primaria Obligatoria:* dominio de las operaciones simples (suma, resta, multiplicación, división).

• *Educación Secundaria Obligatoria:* dominio de operaciones de dificultad superior (quebrados, ecuaciones simples, etc.).

• *Educación Secundaria Postobligatoria:* dominio de operaciones complejas (Ecuaciones 3er grado, derivadas, integrales).

• *Estudios universitarios:* dominio de los conocimientos matemáticos aplicados, que le permitan desarrollar su especialidad en el campo profesional.

De esta forma observamos que asumir los conceptos de una etapa depende, en gran medida, del nivel alcanzado en la etapa anterior. Así, la progresión en el conocimiento de estos objetivos parciales nos conducirá a la consecución del objetivo final, que es lo que determina el éxito o fracaso de cualquier proceso de enseñanza.

Para considerar la enseñanza del fútbol como un proceso formativo debe ocurrir algo similar; el objetivo final ha de ser el dominio de todas las situaciones que implica el fútbol 11:11 de máximo nivel, debiéndose parcializar en etapas, con objetivos propios, que desarrollen los aspectos técnicos-tácticos y físicos, de forma progresiva.

Sin embargo, ¿qué ocurre habitualmente en el fútbol-base?; se introduce a los niños directamente en la competición 11:11, utilizándose incluso las formas de entrenamiento de los adultos, sin tener en cuenta las diferencias que presentan los niños.

Esta realidad supone un grave error que, con toda seguridad, está condicionando el futuro nivel futbolístico de los niños que sufren este tipo de formación.

Siguiendo con el ejemplo de la enseñanza en la escuela, observamos que las actividades, ejercicios y ejemplos (formas didácticas) que utiliza el profesor, son específicos para cada una de las grandes etapas escolares, ajustándose al grado de madurez del alumno. Las conclusiones obtenidas mediante el mayor conocimiento que tenemos sobre los mecanismos que regulan los procesos de aprendizaje, han sido utilizadas para confeccionar y modificar estas formas didácticas.

Vemos, por tanto, que ha existido una evolución que nos permite afirmar que, en la actualidad, la enseñanza presenta grandes diferencias en relación a cómo se realizaba hace unos años.

Resumiendo lo expuesto hasta ahora nos encontramos con que el profesor de cualquier asignatura escolar para lograr el éxito en su proceso de formación dispone de:

– Unos objetivos generales a alcanzar en cada etapa de formación.
– Unos objetivos concretos a alcanzar en cada curso.
– Un libro de texto que guía su actividad docente (específico para cada curso).
– Unas formas didácticas diseñadas especialmente para las características propias de la edad de sus alumnos.

¿De qué elementos dispone el técnico de fútbol-base para lograr el éxito en la enseñanza del fútbol?

– ¿Qué etapas forman el proceso de formación de un joven futbolista?
– ¿Qué objetivos concretos tiene que alcanzar en cada una de ellas?
– ¿Qué objetivos debe conseguir en cada temporada?
– ¿Cuál es el "libro de texto" que le facilitará la consecución de estos objetivos?
– ¿La formas didácticas que utiliza son las idóneas para las características que presentan sus alumnos?

La consecuencia de no encontrar una respuesta afirmativa generalizada a estas cuestiones, es que la enseñanza del fútbol parece haberse quedado anclada en el pasado, con formas, objetivos y métodos –cuando existen– que no tienen en cuenta las particularidades del niño.

Salvando las excepciones existentes, nos encontramos con que esta enseñanza se realiza imitando y repitiendo los anticuados conceptos y experiencias que el propio técnico ha ido adquiriendo en su etapa como jugador.

Dado que el objetivo de este programa es la enseñanza de los fundamentos básicos del fútbol (etapa de iniciación), parece lógico pensar que se trata de un programa válido exclusivamente para niños (etapa óptima).

Sin embargo, y como ocurre en diferentes aprendizajes, muchas veces se deben impartir conocimientos fundamentales de cualquier materia a personas que han superado esa edad ideal.

Si pretendemos enseñar matemáticas a una persona de 20 años que no ha sido escolarizada, resulta evidente que no empezaremos con el nivel que teóricamente corresponde a su edad (Universidad), ya que el resultado sería un rotundo fracaso. Debemos iniciar esa enseñanza con conceptos que en principio están "pensados para niños" (aunque adecuándolos a su edad).

Lo mismo debería aplicarse a jóvenes de 14, 15, 16 años, e incluso con jugadores adultos que, presentando deficiencias en los fundamentos futbolísticos, son "entrenados" con situaciones más complejas que las que aún no dominan.

Por esta razón, el AT-1 no es tan sólo un programa de enseñanza del fútbol para niños, sino que alcanza su pleno significado como *programa de enseñanza de los fundamentos del fútbol.*

En definitiva, al diseñar el AT-1 nos hemos planteado crear un Programa de Aplicación Técnica que contribuya a subsanar las deficiencias mencionadas anteriormente. Para ello, hemos utilizado conceptos que siguen esta forma de entender la enseñanza deportiva y que hasta ahora se hallaban un tanto dispersos, ordenándolos conjuntamente con ideas propias, de tal modo que la enseñanza del fútbol se contemple como un auténtico proceso formativo.

Es evidente que el proceso de formación de un futbolista no queda completado con el AT-1 (que sólo incide en los fundamentos). En el presente libro exponemos en profundidad este programa, dejando para posteriores trabajos el análisis del programa AT-2 (etapa de tecnificación) y el programa AT-3 (etapa de rendimiento).

PROGRAMA AT-1

CAPÍTULO 1

PRINCIPIOS METODOLÓGICOS

Tradicionalmente, ha existido un enfrentamiento teórico entre la elección del método global y el analítico como fundamento en la enseñanza del fútbol.

Expondremos mediante el siguiente esquema un pequeño recordatorio de las características que los diferencian.

	Método analítico	Método global
Características	– Presenta una acción del juego aislándola del mismo, de forma que sólo tiene en cuenta alguno de los elementos que intervienen en la competición (fundamentalmente el balón).	– Presenta una situación del juego en la que intervienen todos sus elementos (balón, compañeros y adversarios).
Ventajas	– Se puede incidir en la mejora de objetivos muy concretos. – Se logra más fácilmente un elevado número de repeticiones de dicho objetivo, siempre que se aplique correctamente.	– Se trabajan simultáneamente aspectos técnicos, tácticos, físicos e incluso psicológicos. – Al incluir todos los elementos del juego, la mejora obtenida en el entrenamiento se refleja rápidamente en la competición.

	Método analítico	Método global
Inconvenientes	– Un ejercicio analítico sólo incide en una de las múltiples posibilidades de las que se puede manifestar una acción, sea técnica, táctica o física. – Las mejoras obtenidas no se manifiestan en su totalidad ya que en la competición se ven condicionadas por la presencia de compañeros y adversarios, que no han sido tenidas en cuenta en el entrenamiento.	– Presenta un nivel inferior de concreción que el método analítico, sobre todo en el aspecto técnico.
Motivación	– Nivel muy bajo respecto al método global, pudiéndose paliar parcialmente a través de motivaciones extrínsecas a la actividad.	– Elevadísimo nivel de motivación que lleva al niño a involucrarse en la actividad de forma total y plena.
Grado de incidencia de los distintos mecanismos que participan en el movimiento	**M. Percepción (*)** Mínimo, ya que se presentan situaciones estables que no solicitan con gran intensidad este mecanismo. **M. decisión (⁻)** Nulo, ya que todo lo que debe realizar el jugador está previsto y es conocido por él antes de iniciar la acción. **M. Ejecución (***)** Máximo, ya que se logra un elevado número de repeticiones.	**M. Percepción (***)** Máximo, ya que las situaciones y acciones que se van a presentar son imprevisibles, por lo que es necesario percibir correcta y rápidamente las continuas variaciones producidas por el balón, los compañeros y los adversarios. **M. decisión (***)** Máximo, ya que cada vez que se perciben estímulos que modifican las situaciones de juego, se hace necesario realizar un análisis de la misma y decidir cómo se va a intentar resolver. **M. Ejecución (**)** Medio, ya que dadas las características de este método se realizan más acciones de las que son propiamente el objetivo del juego, por lo que este mecanismo es solicitado de forma más dispersa que en el método analítico.

EL MÉTODO GLOBAL

Una de las características más importantes para que un aprendizaje sea lo más eficaz y perdurable posible es que las actividades que se realicen impliquen la globalidad de las capacidades del niño (mentales y físicas).

Así, lejos de plantear actividades en las que sólo participen las capacidades motrices, ha de lograrse la intervención de la imaginación, la creatividad y el sentido lógico del alumno.

Por ello, resulta muy adecuada la propuesta de situaciones de juego ya que el niño, debido a la gran motivación que supone superar a un contrario, involucra automáticamente todas sus capacidades.

Lo más importante de esta situación-problema es que el jugador decida cómo resolverla, escogiendo aquella acción que crea más conveniente, en lugar de utilizar, de forma obligada y dirigida, aquella que ha determinado el entrenador.

Considerando la realidad del fútbol-base, en el que habitualmente disponemos de muy poco tiempo para trabajar semanalmente, el método global presenta además de otras ventajas de carácter científico, un elemento favorable de orden práctico.

Al realizar, por ejemplo, un ejercicio analítico de control, estaremos incidiendo en un tipo de control específico, con una superficie de contacto concreta, una orientación del balón definida y con una trayectoria del mismo también establecida. De esta forma, para llegar a dominar el concepto del control quedarían por desarrollar todo el resto de superficies, con todas las posibles variantes que le corresponden a cada una.

Suponiendo que se llevara a la práctica todo este trabajo, aún restarían por desarrollar los demás conceptos técnicos (pase, tiro, juego de cabeza, etc.), los conceptos tácticos (apoyo, marcaje, desmarque, etc.) con todas sus posibles variantes. Igualmente ocurriría con las cualidades físicas.

Resulta evidente la imposibilidad de abarcar toda esa cantidad de trabajo, consiguiendo un alto nivel de ejecución.

Por el contrario, con el método global, se incide simultáneamente en aspectos técnicos, tácticos y físicos, lo que permite, durante un juego, desarrollarlos todos de forma conjunta, aunque sea de un modo más genérico.

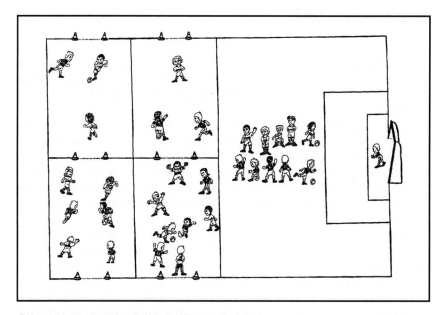

Diferencias entre el trabajo analítico y el global.

Por ejemplo, si proponemos un juego en el que las reglas provoquen la aparición persistente de tiros a portería, este objetivo será requerido desde diversos ángulos, utilizando ambas piernas, con diferentes trayectorias del balón, etc.

Además, a nivel ofensivo se manifestarán otras cualidades técnicas como el control, el regate, etc., conceptos tácticos como el apoyo, el desmarque, etc., mientras que defensivamente pueden aparecer el marcaje, la cobertura, la interceptación, el control de oposición, etc.

Es por ello que el método global permite obtener un resultado más eficaz utilizando el escaso tiempo de que disponemos para formar a nuestros jóvenes futbolistas.

Si analizamos las características esenciales del fútbol, observamos como su enseñanza fundamentada en gestos y acciones aisladas y estereotipadas no tiene demasiado sentido. Dadas las innumerables y continuas variaciones que se presentan durante el juego, es difícil que en el mismo aparezcan dos situaciones idénticas, por lo que el objetivo debe ser que el alumno sea capaz de adaptarse de forma rápida y correcta a cualquier situación que se le presente, por imprevista que sea.

Por esta razón, tiene tanta importancia la participación de los mecanismos de percepción y decisión, ya que incluso cuando el jugador no está en contacto con el balón (más del 90% del tiempo de juego), están siendo requeridos de forma intensa.

De tal forma es decisiva su máxima eficacia que un jugador que perciba y decida correcta y rápidamente, puede disminuir la incidencia negativa de un discreto nivel de ejecución.

Por ejemplo, un jugador lento puede llegar antes a un balón que su contrario, porque al percibir antes la creación de un espacio libre, iniciará con ventaja la carrera (existen numerosos ejemplos de grandes jugadores que presentan estas características).

De igual modo, un jugador técnicamente discreto, al iniciar antes su acción, en el momento de contactar con el balón tendrá una oposición menor, lo que disminuirá la complejidad de la acción técnica a realizar.

Debido a este razonamiento, creemos que mientras sea posible por el nivel de los jugadores, estos mecanismos deben estar implicados en la práctica totalidad de las actividades propuestas en el entrenamiento.

Con esta afirmación y los ejemplos citados no se menosprecian las cualidades técnicas, sino que se pretende presentar la necesidad de que, incluso en el trabajo técnico, deban solicitarse los mecanismos de percepción y decisión.

Por otro lado, observamos que el instrumento de aprendizaje del niño es por excelencia el juego, de tal forma que, prácticamente, toda su actividad tiene un marcado carácter lúdico.

Es tal la importancia del juego, que se ha llegado a considerar que sin él, el niño nunca alcanzaría la madurez propia del adulto.

Debido a esta razón, cuando el niño acude al entrenamiento y "presiona" insistentemente al entrenador para iniciar "el partido", lejos de ser un capricho transitorio, se trata de la manifestación espontánea de una auténtica necesidad que debe satisfacer.

Por todo ello, el programa AT-1 se fundamenta en el método global, ya que es el que presenta un perfil más adecuado a:
– Las características y necesidades del niño.
– Las características predominantes en el fútbol.

La elección de este método no implica la marginación total del analítico, ya que una enseñanza basada exclusivamente en el método global, no es suficiente para la formación completa del joven jugador. Así, el programa también contempla la utilización del método analítico, aunque en porcentaje inferior.

ADECUACIÓN DEL MÉTODO

Una vez determinado el método global como fundamento de la enseñanza del fútbol, en este primer nivel, se trata de adecuarlo en sus formas de aplicación a las edades para las que en principio está pensado el programa, ya que de lo contrario estaríamos incurriendo en uno de los defectos analizados en el primer punto.

La situación global más representativa del fútbol es un 11:11. Sin embargo, las dimensiones del espacio, el número de jugadores y las interrelaciones que se establecen entre ellos, hacen que sea una situación altamente compleja.

Por ello, debemos simplificar su grado de dificultad, para lo que plantearemos situaciones de efectivos reducidos, caracterizadas por:
– Reducción del espacio de juego.
– Reducción del número de compañeros.
– Reducción del número de contrarios.
– Reducción del tiempo a utilizar en cada una de las formas didácticas.

Estas situaciones han sido sistematizadas en el programa AT-1 bajo los conceptos de *Juego de Fútbol* y *Juegos Correctivos*

Igualmente, los ejercicios analíticos quedan incluidos en el Programa en el concepto de *Ejercicios correctivos.*

La aplicación de estas formas didácticas modifica el enfoque que se le daba a la enseñanza en fútbol. Tradicionalmente, el aprendizaje de un gesto coordinativo o un comportamiento táctico (trabajo analítico) era condición previa para empezar a jugar. La enseñanza moderna parte del juego como elemento fundamental de la enseñanza, considerando el método analítico como un complemento que permite completar el proceso de formación.

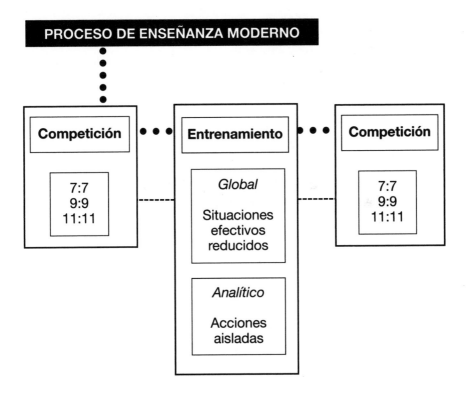

CAPÍTULO 2

FORMAS DIDÁCTICAS Y PROGRAMACIÓN

FORMAS DIDÁCTICAS

Para programar las sesiones de entrenamiento en el programa AT-1, el punto de referencia es la competición; sea fútbol de 11:11, 9:9 ó 7:7, el técnico debe valorar el nivel de juego mostrado en ella, diferenciando los aspectos técnicos, tácticos y físicos, propuestos como objetivos para la etapa en que se encuentran sus jugadores.

Aquella acción o cualidad que se manifieste de forma incorrecta, se extraerá de la competición para plantearla en el entrenamiento con situaciones más simples. De esta forma se consigue que los contenidos del entrenamiento se adecúen totalmente a las exigencias de la competición.

Determinado el objetivo a mejorar, éste se debe presentar al jugador mediante la forma didáctica básica del AT-1: el juego de fútbol.

Juego de fútbol

Es un juego con balón en el que se manifiestan situaciones del fútbol, donde participan dos equipos con un mínimo de dos jugadores cada uno, y en el que se pretende marcar más goles que el contrario. El juego se desarrolla de forma real y continuada durante un tiempo determinado.

• Las reglas, las dimensiones del campo y el número de jugadores (mínimo 2 y máximo 5 por equipo) pueden modificarse según el objetivo que se pretenda mejorar.

• La duración del juego será de 10 minutos aproximadamente, para que el alumno pueda mantener un alto nivel de atención sobre la actividad que está realizando.

• Se puede jugar con 2, 3 ó 4 porterías, que pueden ser:
  – Pequeñas (1 a 4 m)
  – Medianas (5 a 7 m)
  – Grandes (8 m o más)

• Se puede jugar con o sin portero, y la forma de conseguir gol puede ser que el balón traspase la línea de meta mediante un golpeo, o bien mediante una conducción.

Expondremos a continuación un cuadro en el que se reflejan las características, consecuencias y ventajas que se manifiestan en la realización de juegos de Fútbol.

JUEGOS DE FÚTBOL		
CARACTERÍSTICAS	**CONSECUENCIAS**	**VENTAJAS**
– Plantean acciones más simples que las que se dan en la competición.	– Se reducen los frecuentes fracasos que los niños experimentan en la competición (sobre todo en el 11:11).	– El niño se ve capaz de enfrentarse a las situaciones propuestas. – La evaluación y detección de defectos es más fácil que en la competición.

CARACTERÍSTICAS	CONSECUENCIAS	VENTAJAS
– Reglas de juego muy simples, y reducción de dimensiones del terreno y del número de jugadores (de 2 a 5). Todos estos elementos son modificables según el objetivo a mejorar y el nivel de los jugadores.	– Se logra un elevado número de experiencias tanto con el balón como sin él. El alumno centra más su atención, ya que existen menos elementos que la dispersan. – Aparición constante de las mismas situaciones básicas durante un mismo juego, lo que posibilita la utilización de diferentes acciones para resolver el mismo problema.	– Fácil explicación, comprensión y aplicación. – Permite ganar experiencias sin recibir constantemente indicaciones del entrenador, quien interviene sólo cuando el jugador no encuentra la solución por sí mismo. – Dota al alumno de una gran experiencia que le permitirá identificar y reconocer situaciones similares en la competición.
– Reproducen situaciones similares al juego real.	– Desarrollan la capacidad de anticipación sobre acciones del contario, de los compañeros y del balón. – Enseñan que la eficacia de un jugador depende, además de sus capacidades, de las de sus compañeros. – Ininterrumpida experimentación de sensaciones de éxito y fracaso que hacen al jugador psicológicamente más estable. – Consolidan las capacidades técnico-tácticas en condiciones competitivas bajo presión. – Desarrollan de forma progresiva, por su especial estructura, las capacidades de percepción, análisis y decisión, reduciendo el tiempo de ejecución.	– Hacen un especial énfasis en el desarrollo de la comunicación y cooperación entre los jugadores, tanto a nivel ofensivo como defensivo. – Tanto los jugadores hábiles como los menos hábiles son igualmente solicitados en la participación en el juego.

CARACTERÍSTICAS	CONSECUENCIAS	VENTAJAS
– Se trabaja con una línea de 2, 3 ó 4 jugadores, pudiendo existir otro jugador de apoyo por delante o por detrás de la línea de juego.	– Provocan la mejora de las situaciones que se manifiestan dentro de una línea de juego, y la relación de acciones que se producen en la misma.	– Aparición constante de las situaciones y acciones básicas del fútbol.
– Se ajustan a los deseos, expectativas y grado de madurez física y mental del alumno.	– Participación total y constante del alumno durante el juego, incluso cuando no está en contacto con el balón. – Renuevan y aumentan constantemente el aliciente que implica jugar a fútbol. – La actividad es aceptada totalmente por el alumno.	– Estimulan la propia iniciativa, el aprendizaje autodidacta, la creatividad, el autocontrol y la responsabilidad. – Satisfacen el deseo de jugar y de "tocar balón" constantemente. – Evitan la monotonía y el aburrimiento de los entrenamientos habituales. – El rápido conocimiento del resultado obtenido con las acciones realizadas (éxito o fracaso) motiva de forma inmediata al alumno al esfuerzo continuado.

** *Corresponden a una metodología global*

Al diseñar un Juego de Fútbol deberemos tener en cuenta:
– Edad de los alumnos.
– Nivel general que presentan.
– Objetivos de la etapa en que se encuentran.
– Nivel específico respecto al objetivo de trabajo escogido.

Según estos aspectos se puede diseñar un Juego con distintos niveles de dificultad:

SUPERIORIDAD NUMÉRICA	IGUALDAD NUMÉRICA	INFERIORIDAD NUMÉRICA
– Juego de Fútbol en el que el equipo que debe manifestar el objetivo del juego tiene más jugadores que el contrario.	– Juego de Fútbol en el que los dos equipos que se enfrentan tienen el mismo número de jugadores.	– Juego de Fútbol en el que el equipo que debe manifestar el objetivo del juego tiene menos jugadores que el contrario.
Mínima dificultad	2:2, 3:3, 4:4	*Máxima dificultad*

En cada uno de estos niveles podemos variar la dificultad de ejecución aumentando o reduciendo el número de adversarios y compañeros, las dimensiones del terreno y el número y tamaño de las porterías.

El proceso de aprendizaje que experimenta el alumno a través de los Juegos de Fútbol sigue las siguientes fases:

– Conocimiento teórico y práctico del juego.
– Valoración, por parte del alumno, de las acciones realizadas durante el juego, en relación al éxito o fracaso obtenidos.
– Rectificación y perfeccionamiento de las acciones al realizar nuevamente el juego.

Así, para conseguir la mejora del objetivo propuesto es necesario aplicar el mismo juego durante un mínimo de cinco sesiones. Éstas no deben plantearse necesariamente de forma consecutiva.

Si el objetivo a mejorar, después de realizar el Juego durante un tiempo suficiente, no se manifiesta correctamente, realizaremos una modificación del juego, de forma que presente una situación más simple que la anterior (cumpliendo siempre las características de la definición).

El equipo que ejecute de forma menos acertada las situaciones planteadas será, con toda seguridad, el perdedor. En este momento, el alumno será consciente (con o sin ayuda del técnico) de que necesita modificar y/o mejorar las acciones que ha realizado, para conseguir en el próximo "encuentro" un resultado más favorable.

Ejemplo de Juego de fútbol, 3:3.

Aun presentando la situación de forma más simple puede ocurrir que el objetivo no se manifieste de forma totalmente correcta.

Cuando no se logre el aprendizaje del objetivo de trabajo mediante un Juego de Fútbol (dada su globalidad), propondremos una forma didáctica que simplifique y concrete aún más la situación: el *Juego correctivo.*

Juego correctivo

Cualquier juego con presencia de balón que plantee de forma más simple el aspecto que pretendía mejorar el Juego de Fútbol, en el que participen al menos dos equipos, y que cumpla una de estas características:

• Un equipo está formado por un sólo jugador.

• El juego se desarrolla de forma discontinua. (Están establecidos el principio y el fin del juego.)
• La competición planteada con el juego no tiene por objetivo marcar goles.

Con estas características conseguimos:

– Simplificar la situación de juego utilizando el mínimo grado de oposición.
– Presentar de forma reiterada y específica, mediante el juego discontinuo, el objetivo a desarrollar.
– Incluir aspectos como la posesión del balón que quedan fuera de las anteriores características, cuando el objetivo no sea hacer gol.

El juego correctivo puede responder a una metodología global o mixta.

Juego correctivo.

Hasta el momento, con el Juego de Fútbol y el Juego Correctivo, hemos utilizado el método global para la mejora de los diversos aspectos técnicos, tácticos y físicos.

Si aun con el Juego Correctivo, en situaciones muy simples, el objetivo no se manifiesta correctamente, después de realizar un análisis que determine las causas de la aparición de estos errores (factores de habilidad, tácticos, físicos o psicológicos), deberemos plantear formas de trabajo analíticas que mejoren estos aspectos.

Ejercicio correctivo de la acción tècnica del pase.

La utilización de estas formas en el Programa AT-1 está motivada por varias razones:
– Corregir las deficiencias que se manifiestan en situaciones de juego muy simples (por lo que no mejoran a través del Juego).
– El método global no es suficiente para mejorar aspectos específicos (habilidad, cualidades físicas, etc).
La forma didáctica analítica del AT-1 que abarca estos aspectos
es el *Ejercicio Correctivo.*

Ejercicio Correctivo

Cualquier actividad realizada con o sin balón, en la que no exista
ningún tipo de oposición, que plantee de forma más simple el aspecto del Juego Correctivo que se pretende mejorar.
Como resumen de lo expuesto, podemos decir que el Programa
AT-1 considera el método Global como el fundamento de la enseñanza del fútbol, en este primer nivel, mientras que el analítico se
convierte en su complemento ideal.

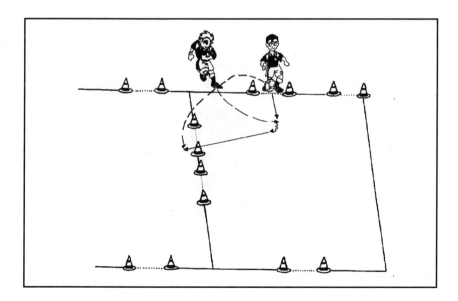

Ejercicio correctivo para la acción táctica del apoyo.

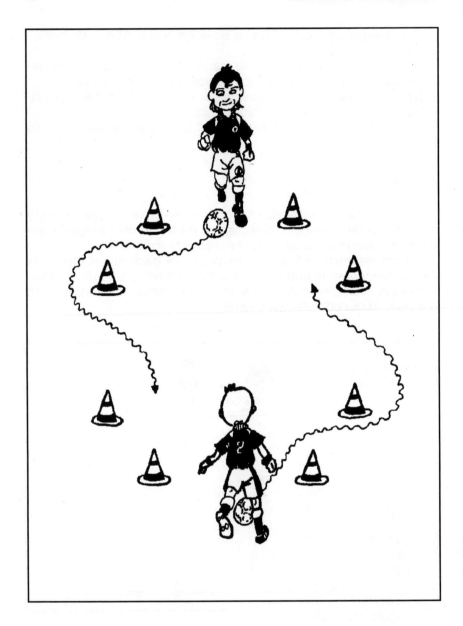

Ejercicio correctivo para la coordinación dinámica especial (P. Física)

APLICACIÓN DE LAS FORMAS DIDÁCTICAS

Expondremos una serie de aspectos prácticos que durante nuestra experiencia en la utilización de los Juegos de Fútbol, Juegos Correctivos y Ejercicios Correctivos, se han revelado como muy eficaces para el correcto desarrollo de la sesión de entrenamiento:

– Diseñar el Juego de Fútbol, el Juego Correctivo y el Ejercicio Correctivo a realizar en la sesión, de forma que utilicen las mismas señalizaciones en el campo (o muy similares).
– Para marcar el campo podemos aprovechar las líneas existentes (área, banda, medio campo). Para las que no puedan señalizarse de esta forma podemos utilizar conos en lugar de cal.
– Las medidas del campo a utilizar en los Juegos de Fútbol dependerán del objetivo, del número y nivel de los Jugadores, y de la edad de los mismos. Estas medidas pueden oscilar entre:
• 60 x 60 m como máximo
• 15 x 15 m como mínimo
(El terreno de juego puede ser rectangular o cuadrangular.)
– La organización por grupos de los jugadores es importante que se realice siguiendo el criterio de diferenciar niveles de calidad. De esta forma, los jugadores se enfrentan a oposiciones realizadas por un contrario de nivel similar, lo que mantiene la motivación y la confianza con la que el niño se enfrenta a la situación de juego propuesta.
– Dentro de la dinámica de la sesión resulta interesante establecer un "campeonato" durante el desarrollo de la misma. Cada equipo irá sumando puntos según los resultados obtenidos en los Juegos. Es importante, por ello, cambiar la composición de los equipos cada sesión, de forma que ninguno pierda o gane de forma habitual.
El campeonato también puede realizarse individualmente; en este caso los equipos se modificarán después de cada Juego o ejercicio, siendo las puntuaciones obtenidas para cada jugador del grupo vencedor en lugar de para el equipo.
– Es importante señalar que un juego diseñado correctamente, para la mejora de un objetivo táctico puede "fracasar" en su aplicación si alguno de los jugadores que lo realizan no posee un nivel técnico mínimo.

PROGRAMACIÓN DE LAS SESIONES DE ENTRENAMIENTO

Estableceremos mediante un gráfico el proceso a seguir en la aplicación del Programa AT-1.

Como ejemplo realizaremos el Proceso de aplicación del Programa utilizando el concepto de la Profundidad (Táctica).

1º ANÁLISIS DE LA COMPETICIÓN	2º JUEGO DE FÚTBOL	3º TRABAJO CORRECTIVO
– Determinar el nivel de ejecución durante la competición del objetivo de trabajo previsto.	– Determinar el nivel adecuado de dificultad del Juego que permita mejorar el objetivo deseado.	– Corrección de los aspectos manifestados incorrectamente en el Juego de Fútbol.
– Caben varias posibilidades: • *Nivel muy bueno* (Cambiar el objetivo programado,) • Nivel * Correcto * Incorrecto * No se manifiesta (Desarrollar el objetivo programado con un Juego de Fútbol.)	– Diseñar y aplicar el Juego. – Según el resultado obtenido: • *Muy bueno* en un J. Fútbol de máxima dificultad. (Volver a la competición.) • *Correcto* Seguir con el Juego de Fútbol o aumentar su dificultad. • *Incorrecto* Seguir con el mismo Juego, o simplificarlo. • *No se manifiesta* Recurrir al Trabajo Correctivo.	– Diseñar y aplicar Juegos y/o Ejercicios Correctivos. – Volver al Juego de Fútbol para evaluar el nivel de corrección logrado.

Análisis de la competición

Observaremos en el partido de competición el nivel que nuestros jugadores manifiestan en el aspecto de la profundidad, entendida ésta según la definición establecida en el Programa AT-1.
• Imaginemos que observamos la siguiente jugada durante el partido.

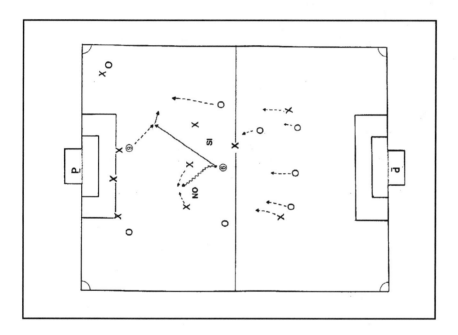

– Vemos que el jugador n° 6, que posee el balón, tiene problemas para progresar. (Está marcado por dos contrarios, lo que también le impedirá jugar con sus compañeros de línea.)

– En este caso, debería jugar el balón en profundidad a su compañero n° 9, que está en disposición de recibirlo. De esta forma, se superaría la línea de medios contrarios.

– En lugar de esta acción, el n° 6 intenta la acción individual (1:2) perdiendo la posesión del balón.

Diseño del Juego de Fútbol

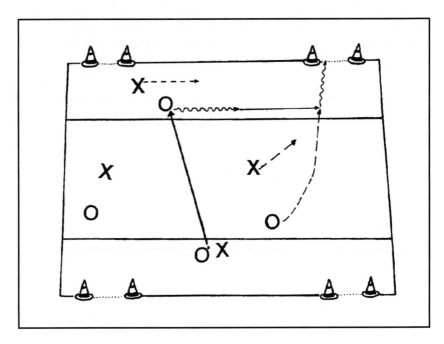

Juego de Fútbol para la mejora de la profundidad, 4:4

Reglamento
- Cada equipo deberá lograr gol conduciendo el balón a través de cualquiera de las 2 porterías contrarias.
- Un jugador de cada equipo deberá permanecer en su zona de ataque, realizando todo su juego (ofensivo y defensivo) dentro de la misma. Esta posición será ocupada alternativamente por todos los jugadores de un equipo.
- El resto de jugadores podrá desplazarse por todo el campo.
- Con esta reglamentación, los jugadores del equipo que ataca o los del que recupera el balón, manifestarán una tendencia a aprovechar la profundidad creada por su jugador punta, desbordando rápidamente a los 3 defensores contrarios.

Diseño del Trabajo Correctivo

Juego Correctivo

- Se utilizará el mismo campo que se ha trazado para el Juego de Fútbol. (Es importante hacerlo así para evitar la gran pérdida de tiempo que supone marcar nuevos terrenos de juego.)

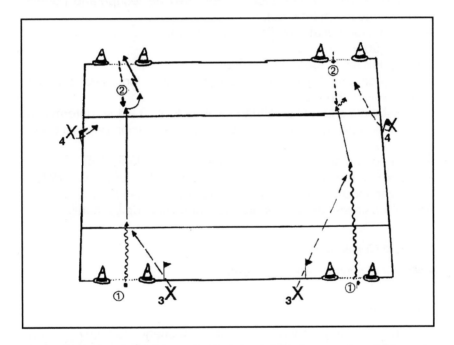

En esta situación, para lograr gol, el jugador 1 deberá aprovechar rápidamente la profundidad manifestada por 2 (pase), ya que de otra forma los defensas llegarán para impedirlo.

Reglamento

- Cada equipo se dividirá en dos grupos, que competirán entre ellos.

– El jugador –1– saldrá conduciendo el balón hasta sobrepasar la
línea de área propia. A partir de ese momento, podrá pasar el
balón a su compañero –2–, quien saliendo de la línea de meta
contraria, cuando el balón entre en el campo de juego, deberá
recibirlo dentro de su zona de ataque, pudiendo hacer gol
golpeando el balón a portería.

– Los jugadores 3 y 4 deben recuperar el balón a partir de que el
jugador 1 inicie la conducción. En caso de recuperarlo pueden
contraatacar y marcar gol.

– Cada acción del ataque finalizará cuando:

  • El jugador 2 marque gol.

  • El balón salga fuera del terreno.

  • Los jugadores 3 y 4, tras recuperar el balón, logren gol o lo pier-
    dan en su contraataque.

– La distancia a la que se sitúan los jugadores 3 y 4 se determinará
en función de su velocidad y del nivel de ejecución de los jugadores 1 y 2.

– Cada equipo contabilizará el número de goles logrados.

– Todos los equipos deben realizar el papel de atacantes y defensas, variando la demarcación ocupada por cada jugador.

– Para próximas sesiones variar la composición de las parejas.

Ejercicio Correctivo

• Utilizar el mismo terreno de juego.

Reglamento

– Cada grupo de jugadores utilizado en el Juego Correctivo se divide en 2 parejas que utilizarán todo el campo. Cuando las dos primeras finalizan su acción entran en juego las dos restantes.

– A una señal visual del técnico (o de un jugador) los Jugadores 1
de cada pareja iniciarán una conducción hasta sobrepasar la línea
de área propia. A partir de ese momento, podrán pasar el balón a
su compañero 2, quien debe recibirlo dentro de la zona de ataque,
entrando en la portería conduciendo el balón.

– Sólo se contabilizará el gol del equipo que lo consiga primero.

– Alternar las parejas y realizar una competición entre ellas, variando la demarcación ocupada por cada uno de los jugadores.

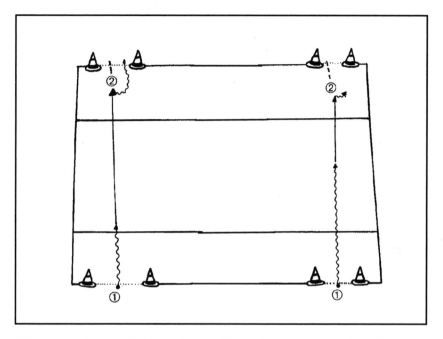

El jugador –1– pasa rápidamente el balón por lo que su compañero –2– marcará gol antes que la pareja contraria.

CAPÍTULO 3

CONCEPTOS Y ENTRENAMIENTO DE LA TÉCNICA

CONSIDERACIONES

Tradicionalmente, cuando se plantea un programa de trabajo se tienen en cuenta aisladamente los cuatro fundamentos en los que se basa el fútbol (técnica, táctica, preparación física y condición psicológica).

Sin embargo, un buen futbolista no es aquel que domina de forma aislada estos fundamentos, sino el que, con un nivel suficiente en cada uno de ellos, los relaciona globalmente logrando una correcta ejecución.

Por esta razón, en el caso de un jugador diestro, no debe utilizarse el escaso tiempo de entrenamiento en intentar igualar el nivel de habilidad de su pierna izquierda con el de la derecha.

De esta forma tendríamos un jugador "ambidiestro", pero poco eficaz a la hora de aplicar esa habilidad en situación de juego.

Si bien es necesario lograr el dominio básico de la pierna menos hábil, el objetivo prioritario será la aplicación de ese nivel de habilidad en relación con los factores y aspectos que definen una situación de juego.

Como elemento diferenciador tenemos que señalar que el programa AT-1 no plantea el trabajo sistemático y repetitivo de las múltiples posibilidades en que se puede manifestar cada acción. El AT-1 pretende potenciar la utilización de las diferentes acciones, en situaciones en que se relacionen con el resto de fundamentos, donde el alumno decidirá cuándo y cómo ejecutarlas.

Por esta razón, no se distingue entre el pase de interior, exterior, empeine, etc., sino que consideramos el pase como una única acción.

El desarrollo de cada una de las posibles formas en las que se puede realizar una acción, es un objetivo que pertenece a la etapa de Tecnificación (AT-2).

CONSIDERAMOS LA TÉCNICA COMO:

– El conjunto de acciones que un jugador puede realizar en contacto con el balón, con las limitaciones establecidas por el reglamento.

Según la situación en la que se realicen estas acciones distinguimos dos aspectos:

Habilidad

Cualquier acción realizada con el balón en la que no existe ningún tipo de oposición, por lo que intervienen de forma casi exclusiva factores de coordinación. (Relación jugador balón)

Técnica (propiamente)

Es la manifestación de un determinado nivel de habilidad en una acción, relacionándola con los aspectos tácticos, psicológicos y físicos que intervienen en la jugada.

• Así, el "Jugador técnico" no es aquel que tiene un alto nivel de habilidad sino el que relaciona de forma eficaz este nivel con el resto de fundamentos.

– Acción de habilidad
*Sólo debe peocuparse de ejecutar correctamente la conducción que ha
sido determinada en tipo, trayectoria, orientación, etc. por el técnico.*

**– Acción
Técnica**
*Dependiendo de
la situación de
juego (análisis),
el jugador
escogerá
(decisión) la
forma de
conducción a
utilizar, la
orientación y
duración de la
misma
(ejecución), así
como la
utilización de*

*otra acción. Además deberá vencer la oposición del contrario protegiendo
el balón durante la conducción.*

Para que un jugador manifieste un alto nivel técnico debe mejorar:
– *Mecanismo de percepción:* que permite conocer qué elementos
(balón, compañeros, adversarios, espacio, etc.) y de qué forma
(colocación, velocidad, etc.) inciden en una situación de juego.

Disponer de este conocimiento es indispensable para analizar correctamente una situación.

– *Mecanismo de decisión:* que permite escoger con qué acción y en qué momento se intentará resolver la situación de juego analizada.

– *Mecanismo de ejecución:* que permite realizar de forma correcta y con la velocidad adecuada la acción escogida.

PERCEPCIÓN

– *El jugador percibe y analiza los desplazamientos, la velocidad y la ubicación en el espacio propios, del balón, de los compañeros y de los contrarios.*

DECISIÓN

– *El jugador relaciona los elementos percibidos tras controlar el balón con el pecho, observando que el defensor llegará al balón antes de que éste toque el suelo. Para evitar la acción del defensa decide hacer un control orientado con el pie en plena carrera.*

EJECUCIÓN

– *El jugador ejecuta correctamente el control orientado con el pie en fase aérea, con lo que evita la acción del defensor que queda desbordado.*

Expondremos a continuación los conceptos y acciones que componen la técnica, definiendo estas últimas en las fichas de trabajo que se adjuntan como ejemplos de posibles formas de desarrollo.

TÉCNICA DEL JUGADOR	
CONCEPTOS DE LA TÉCNICA	**ACCIONES DE CADA CONCEPTO**
– Toques de balón Acción de contactar dos o más veces consecutivas con el balón por el aire.	**– Toques de balón** • cabeza • pies • muslos
– Transporte del balón Conjunto de acciones que tiene por objetivo desplazarse con el balón.	**– Acciones del Transporte** • Conducción • Regate • Pared
– Control Conjunto de acciones que tienen por objetivo hacerse con el balón mediante un contacto para dejarlo en condiciones óptimas de ser jugado.	**– Acciones del Control** • Control libre • Relevo • De oposición
– Golpeo Conjunto de acciones que tienen por objetivo contactar con el balón, desplazándolo con intencionalidad fuera del propio control.	**– Acciones del Golpeo** • Pase • Saque • Centro • Despeje • Desvío
– Tiro Es la acción de golpear el balón hacia la portería contraria con intención de hacer gol.	**– Acciones del Tiro** • Remate
– Cobertura del balón Conjunto de acciones que tienen por objetivo proteger el balón de la acción del contrario.	**– Acciones en la Cobertura del balón** • Protección del balón parado • Protección del balón en movimiento
– Gestos-tipo Son un conjunto de acciones físicas que nos permiten realizar la acción técnica más adecuada con la mayor eficacia posible.	**– Acciones** • Tackle • Lucha aérea • Carga • Tackle con deslizamiento • "Plongeon" (cabezazo en plancha)

* Las acciones de las que se presenta una ficha de trabajo como ejemplo están señaladas con un punto (•). Señalización válida para todos los cuadros.
* Todas las acciones citadas tienen diferentes tipos de manifestación (distintas superficies, orientaciones, etc). Sin embargo, el desarrollo específico de cada una de ellas es propio de la etapa de Técnificación (AT-2), por lo que queda fuera del ámbito del AT-1.

FICHAS DE TRABAJO

Consideraciones sobre las fichas de trabajo

– Estas consideraciones son válidas para todas las fichas presentadas en este programa.
– Las fichas que a continuación exponemos son tan sólo un ejemplo de los múltiples posibles que se pueden realizar. Cada técnico deberá desarrollar distintos juegos y ejercicios utilizando su inventiva.
– Hay que indicar que un mismo juego o ejercicio, dependiendo de la reglamentación, puede ser útil para mejorar diferentes aspectos, sean técnicos, tácticos o físicos.
  Por ejemplo una situación 3:1 puede mejorar:
  • la conducción   • la amplitud   • la velocidad
– La formación de los equipos que participan en los juegos expuestos se representa de la siguiente forma:

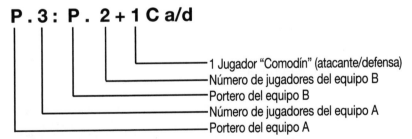

P . 3 : P . 2 + 1 C a/d

— 1 Jugador "Comodín" (atacante/defensa)
— Número de jugadores del equipo B
— Portero del equipo B
— Número de jugadores del equipo A
— Portero del equipo A

En los juegos y ejercicios donde el gol se obtiene mediante una conducción del balón, aun no explicitándose en el texto, también puede marcarse con un remate de cabeza.

Las medidas expuestas para cada uno de los juegos (límites del terreno y áreas) son orientativas. Cada entrenador deberá ajustarlas a las necesidades que plantean sus jugadores (nivel, edad, objetivos, ...).

Los símbolos utilizados para realizar las representaciones gráficas son:

O   Jugador atacante (o del equipo A)

X   Jugador defensor (o del equipo B)

P   Portero

⊗   Jugador "Comodín"   ⊗ a-atacante ⊗ d-defensor

•   Balón

       Cono

----▶   Desplazamiento del jugador sin balón

〰〰➤   Desplazamiento del jugador con balón

⟶   Desplazamiento del balón

       Balón alto

⇒   Tiro a portería

·······   Línea de meta

Γ   Posta de referencia

T   Técnico

⇒   Sentido del ataque

TOQUES DE BALÓN

– Acción de realizar dos o más contactos seguidos con el balón por el aire.

CONSIDERACIONES

– En esta acción predomina el dominio de balón con las diferentes partes del cuerpo –cabeza, pies, muslos– (Aspectos coordinativos). Por esta razón se trata fundamentalmente de una acción de habilidad.
– La desarrollaremos mediante Ejercicios y Juegos Correctivos.
– Se debe exigir la utilización de ambas piernas.

JUEGO CORRECTIVO

Reglamento: rondo 3:1

– Los jugadores atacantes deberán pasarse el balón por el aire realizando, antes de pasarlo un mínimo de 2 toques con cualquier parte del cuerpo.
– Entre un jugador y otro el balón sólo podrá dar un bote en el suelo.
– El defensor tratará de recuperar el balón.

Aspectos a observar y corregir:

– Protección del balón con el cuerpo para evitar la acción del defensor.

Manifestación del objetivo:

– La obligación de realizar al menos dos toques exige un buen nivel de habilidad. La manifestación de esa habilidad se ve dificultada por la oposición real del defensor.

EJERCICIO CORRECTIVO

Reglamento:

– Cada jugador intentará realizar toques de balón con diferentes superficies del cuerpo.
– El ejercicio se inicia con el balón raso, debiéndose levantar con los pies.

Aspectos a observar y corregir:

– Grado de coordinación y equilibrio manifestados.
– Actitud corporal relajada.
– Aumento progresivo de la dificultad (levantar balón con el pie menos hábil, utilización de todas las superficies, ...).

Manifestación del objetivo:

– Toques seguidos con la pierna más hábil (iniciando con la mano).
– Toques seguidos con la pierna más hábil (iniciando con los pies).
– Toques con las otras superficies de forma aislada.
– Toques continuos utilizando de forma alterna todas las superficies.

CONDUCCIÓN

– Es la acción de llevar el balón por el suelo y con los pies sin perder su control.

CONSIDERACIONES

– Destacada importancia de la visión periférica durante la conducción.
– Proteger el balón de la acción del contrario.
– No perder el control del balón en los contactos para evitar la interceptación del contrario.

JUEGO DE FÚTBOL

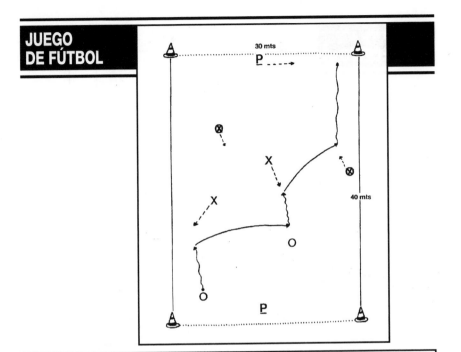

Reglamento: P.2 : P.2 + 2 Comodines (2C juegan con el equipo poseedor)

– El equipo poseedor del balón (4 jugadores) debe hacer gol entrando en la portería con el balón controlado.
– Cuando pierdan el balón, los comodines cambiarán automáticamente de equipo.
– Cada 3 minutos cambiar la pareja de comodines.
– El portero jugará sobre la línea de meta.
– Sancionar el fuera de juego

Aspectos a observar y corregir:

– El poseedor del balón debe conducirlo si no está marcado, o pasar el balón al compañero desmarcado antes de recibir la presión del contrario.
– Orientar la conducción hacia los espacios libres.

Manifestación del objetivo:

– Dada la superioridad numérica provocamos la constante posibilidad de que los jugadores manifiesten los distintos tipos de conducción.
– La existencia del portero exige al jugador que conduce mantener la "cabeza alta".

JUEGO CORRECTIVO

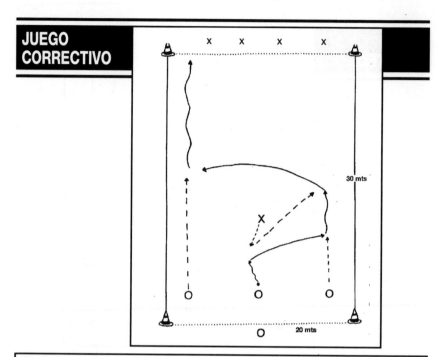

Reglamento: 3:1

– El equipo –O– ataca con 3 jugadores, y 1 descansa (el último que ha hecho de defensa). Si el defensor recupera el balón puede hacer gol golpeando hacia la portería contraria.
– Cuando el equipo –O– hace gol (entrando con balón controlado), o pierde el balón, los 3 jugadores –X– inician el ataque.
– 1 de los atacantes –O– deberá defender el ataque de –X–.
– Sancionar el fuera de juego.

Aspectos a observar y corregir:

– Evitar los pases laterales repetitivos.
– El jugador libre de marcaje que reciba el balón debe progresar, en lugar de realizar cualquier otra acción técnica.

Manifestación del objetivo:

– Al existir un solo defensor se manifestará el espacio suficiente para realizar la conducción.

EJERCICIO CORRECTIVO

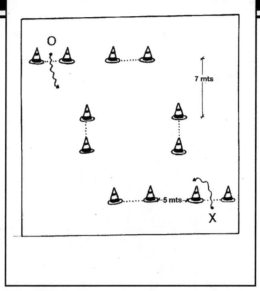

Reglamento:

– A la señal, los jugadores X y O deberán conducir el balón por entre todas las porterías, volviendo al punto inicial.
– Vencerá aquel jugador que finalice antes el recorrido.
– Cada jugador decidirá sobre la marcha el recorrido a seguir.
– Las porterías serán de 1 ó 2 m.

Aspectos a observar y corregir:

– Pérdida del control del balón durante la conducción.

Manifestación del objetivo:

– La conducción estará influenciada por 2 aspectos:
  • Competición con el contrario (velocidad)
  • Analizar el circuito y escoger el camino más corto.
– Dentro de los ejercicios correctivos éste presenta un alto nivel de dificultad.

REGATE

– Es la acción de desbordar al adversario manteniendo el control del balón.

CONSIDERACIONES

– En situaciones de 1:1 provocar que el jugador intente el regate.
– Evitar que lo intente en situaciones desfavorables 1:2.
– Evitar el regate cuando exista la posibilidad de realizar una acción más favorable. (Un compañero en profundidad desmarcado, y en disposición de recibir el balón.)
– Al salir del regate incidir en la realización de la acción técnica más adecuada, con la mayor rapidez posible.

JUEGO DE FÚTBOL

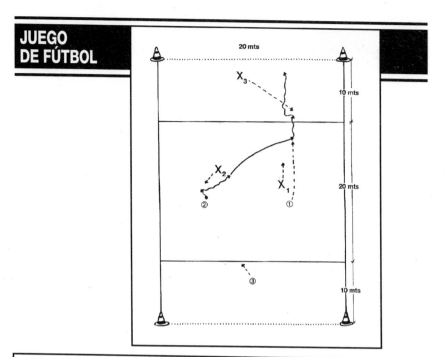

Reglamento: 3:3

– Los jugadores defensores no pueden salir de su zona en ningún caso.
– El jugador atacante n° 3 tampoco, mientras que el n° 1 y el 2 sólo podrán invadir la zona de ataque cuando uno de ellos, en posesión del balón entre en la zona con el balón controlado; en ese momento su compañero también podrá penetrar.
– Para hacer gol se debe entrar en la línea de meta con el balón controlado.

Aspectos a observar y corregir:

– Orientar el regate hacia el espacio libre.
– Manifestación de distintos tipos de regates según las situaciones.
– Variar el juego de forma que, una vez invadida la zona de ataque, se puede optar por un tiro a gol. En ese caso, cada equipo jugará con un portero.

Manifestación del objetivo:

– La aparición de situaciones de 1:1 provocará la utilización del regate para superar al contrario.
– Una vez realizado el regate el poseedor del balón ejecutará rápidamente la acción técnica más adecuada (pase, tiro o conducción) para poder evitar la oposición del defensor libre.

JUEGO CORRECTIVO

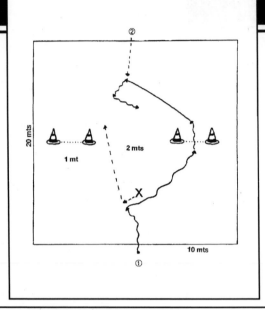

Reglamento: 2:1 durante un tiempo determinado

– El jugador –1– intentará marcar gol con el balón controlado a través de una de las 2 porterías, para pasar después el balón al jugador –2– (–1 volverá rápidamente tras su línea de salida).
– El jugador –2– no entrará en el campo hasta que –1– haya marcado. –2– intentará hacer gol sin detenerse tras recibir el pase.
– El defensa –X– evitará la acción de –1– y –2–, pudiendo lograr gol si recupera el balón, llevándolo de forma controlada fuera de los límites del campo.
– Cuando el jugador –2– logra gol, pasará de nuevo a –1–, continuando el juego hasta que finalice el tiempo establecido o el balón salga fuera de los límites del campo.
– Se deben intercambiar constantemtente las posiciones.

Aspectos a observar y corregir:

– Utilización de fintas y cambios de ritmo.
– Realización rápida de la acción posterior al regate.
– Correcta realización del apoyo.
– Regate del defensa al recuperar el balón.

Manifestación del objetivo:

– La situación del 1:1 constante provocará la utilización de:
  • distintos tipos de regates • fintas • una alta velocidad de ejecución en la acción posterior al regate • regate después del control de oposición

EJERCICIO CORRECTIVO

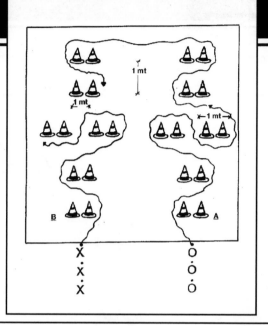

Reglamento:

– Los jugadores realizarán un slalom regateando todos los conos.
– Vencerá el jugador que con su balón toque primero el cono del que salió su contrario.
– Los jugadores que salen desde el cono A deberán iniciar el recorrido por la izquierda, mientras que quienes lo hacen desde el B lo harán por la derecha.
– Deben salir desde los 2 lados enfrentados con la misma pareja, cambiando la composición de la misma en las próximas salidas.
– Cuando el jugador toque o se salte 1 cono, se le descontará 1 punto.

Aspectos a observar y corregir:

– Los cambios de ritmo.
– El control del balón.
– Los cambios de dirección.
– Utilización de las superficies de contacto más adecuadas en cada caso.
– Centro de gravedad bajo.

Manifestación del objetivo:

– La manifestación del regate vendrá provocada por la reducida distancia existente entre los conos.
– Dentro del concepto de ejercicio correctivo, el nivel de habilidad necesario para este ejercicio puede considerarse como medio-alto, dada la situación de competición.

PARED

- Es la acción de pasar y recibir el balón a un toque, con el objetivo de desbordar al adversario.

CONSIDERACIONES

- Provocar la aparición de los tres tipos de pared:
  • Frontal
  • Lateral
  • En profundidad

- El jugador que hace la pared debe "atacar" el balón.
- El jugador que inicia la pared debe orientar la realización de la misma hacia el espacio libre.

Reglamento: 2:2 + 1Cd

- Los 2 jugadores atacantes tienen 4 comodines que juegan fuera del campo al primer toque. Sólo pueden entrar en el terreno en el momento de realizar la pared.
- El comodín –d– (defensivo) jugará siempre con el equipo que no controle el balón.
- Los goles pueden ser marcados en cualquiera de las 2 porterías.

Aspectos a observar y corregir:

- Realizar la pared con el comodín que permita la ejecución de la pared más adecuada para superar al contrario.
- Atacar sobre una u otra portería, según la orientación del marcaje.
- Posición y orientación en el apoyo de los comodines que realizan la pared.

Manifestación del objetivo:

- Al establecer una situación de inferioridad numérica (2:3) los atacantes buscarán el apoyo de los comodines. Dado que estos sólo pueden jugar a un toque, se provocará la utilización de la pared.
- Al poder atacar sobre las 2 porterías, se manifestarán los diferentes tipos de pared.

**JUEGO
CORRECTIVO**

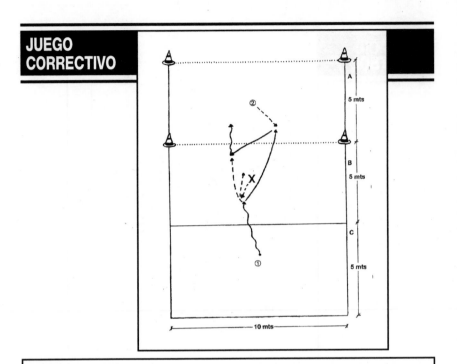

Reglamento: 2:1

- El jugador –1– sale de la zona con balón controlado, pudiendo jugar por todo el campo.
- Para hacer gol debe entrar en una de las 2 porterías después de hacer una pared con su compañero –2–, realizando un máximo de 3 toques seguidos al balón tras recibir la pared.
- El jugador –2– puede apoyar por todo el campo y por fuera del mismo.
- –X– defiende en la zona a y b.
- En caso de lograr gol, se anotarán dos puntos los jugadores atacantes.

Aspectos a observar y corregir:

- Posición y orientación del jugador que apoya.
- Realización del tipo de pared más adecuada para superar al contrario.

Manifestación del objetivo:

- La reglamentación comporta la realización de una pared para obtener gol.

EJERCICIO CORRECTIVO

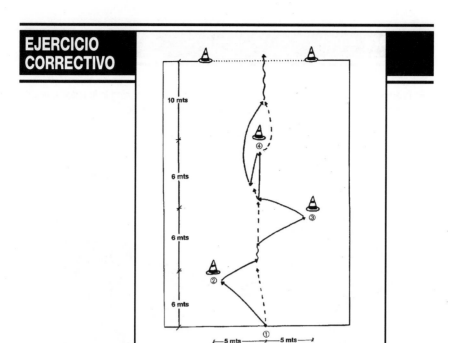

Reglamento:

– Compiten 2 equipos en 2 campos distintos (el dibujo sólo representa uno).

– El jugador –1– realiza una pared con el –2–, y otra con el jugador –3–, debiendo ejecutar después una doble pared con el n°–4–. El jugador –4– tratará de marcar gol mediante una conducción, antes que el equipo contrario.

– El equipo que lo logre primero se anotará un punto.

– Los jugadores intercambiarán sus posiciones después de cada jugada (1-4, 4-3, 3-2, 2-1).

Aspectos a observar y corregir:

– Tipo de pared más adecuada en cada posición para lograr lo más rápidamente posible la progresión del balón.

– Potencia y orientación adecuada en el toque de balón.

Manifestación del objetivo:

– La utilización de la pared viene determinada por la reglamentación, apareciendo paredes simples (izquierda y derecha) y doble pared.

– El nivel de dificultad podemos considerarlo medio-alto debido a la situación de competición establecida.

CONTROL LIBRE

– Es la acción de hacerse con el balón que no está controlado por ningún jugador, mediante un contacto, para dejarlo en condiciones óptimas de ser jugado.

CONSIDERACIONES

– Incidir en la correcta orientación del balón en el control.
– El jugador debe decidir la acción posterior al control, para realizarla lo más rápidamente posible.
– Incidir en la protección del balón durante el control.
– Cuando el jugador que ha de controlar el balón está marcado, debe "atacar" el balón para controlarlo con ventaja.

JUEGO DE FÚTBOL

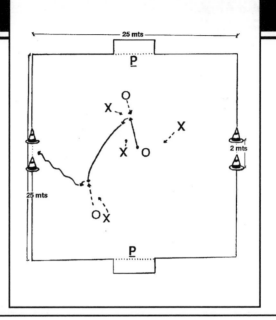

Reglamento: 4:3 + 2P

- Los 2 equipos tratarán de hacer gol en cualquiera de las 4 porterías. En las que hay portero se puede golpear desde cualquier posición, mientras que en las otras 2 se ha de lograr con balón controlado.
- Sólo se puede realizar un máximo de 3 toques seguidos al balón.
- Cada uno de los 7 jugadores alternará su participación con los equipos O(3) y X(4), de forma que todos experimenten las situaciones de superioridad e inferioridad.

Aspectos a observar y corregir:

- Búsqueda de la portería libre para orientar el control hacia ella.
- Destaca la importancia de la protección del balón en el control del equipo que se halla en inferioridad numérica.
- Ejecución del control adecuado a la acción posterior a realizar.

Manifestación del objetivo:

- Dada la situación de 3 toques se producirá un gran número de pases, lo que comporta la aparición de la acción del control.
- El equipo de 3 jugadores tendrá un nivel de dificultad superior en las acciones de control.

JUEGO CORRECTIVO

Reglamento: 3:2

– Los jugadores –O– deberán mantener la posesión del balón durante 30 segundos. No podrán salir de su zona de juego, pudiendo realizar como máximo 4 toques seguidos al balón.
– Los jugadores –X– tratarán de recuperar el balón, pudiendo jugar en todo el campo.
– Los jugadores –O– obtendrán la siguiente puntuación:
  • 10-19" posesión (1 punto) • 20-29" posesión (2 puntos) • 30" (3 puntos)
– Los jugadores –X– obtendrán la siguiente puntuación:
  • Recuperación balón (1 punto)
  • Recuperación + Pase con control del receptor (2 puntos)
  • Recuperación + Pase + Conducción controlada fuera del campo (3 puntos)
– Al inicio del juego ningún jugador defensor podrá estar en la zona del poseedor.

Aspectos a observar y corregir:

– Búsqueda de posición adecuada para recibir el balón.
– Apoyo del compañero del jugador que recupera el balón.

Manifestación del objetivo:

– La necesidad de mantener el balón controlado, ante la presión de los defensas, provo-cará la aparición de pases y controles.

EJERCICIO CORRECTIVO

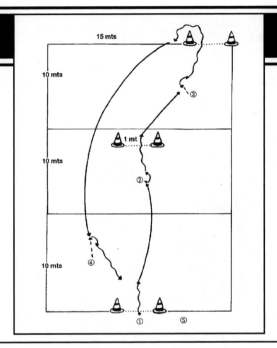

Reglamento:

- El jugador –1– penetrará en su portería con balón controlado (1er gol), pasando al –2–, que penetrará en su portería (2° gol). Éste pasará al –3–, que hará lo propio. –3– efectuará un pase alto desde fuera del campo al jugador –4– que hará gol (4°) en la portería inicial.
- A partir de ese momento el jugador –5– iniciará la jugada en la posición –1–, el jugador –1– en la 2, el 2 en la 3, y el 3 en la 4, quedando el jugador –4– recuperándose para entrar en la próxima jugada.
- Durante 3-5 minutos competición entre 2 o más equipos simultáneamente en diferentes campos, anotándose los goles que van obteniendo.

Aspectos a observar y corregir:

- Correcta ejecución de la acción de habilidad en el control para no perder en ningún momento la posesión del balón.

Manifestación del objetivo:

- La colocación de las porterías y la reglamentación provoca la aparición de diferentes tipos de control.
- La motivación por conseguir goles rápidamente aumenta la dificultad de la ejecución.

RELEVO

– Es la acción conjunta en la que un jugador se hace con el balón que está en posesión de un compañero, mediante un contacto.

CONSIDERACIONES

– Para considerarse relevo, y no un pase, el poseedor debe dejarse arrebatar el balón por su compañero durante la conducción, sin necesidad de tocarlo.
– Durante el relevo, el jugador que lleva el balón debe atraer la atención de su marcador para dejar libre al compañero que hace el relevo.

JUEGO DE FÚTBOL

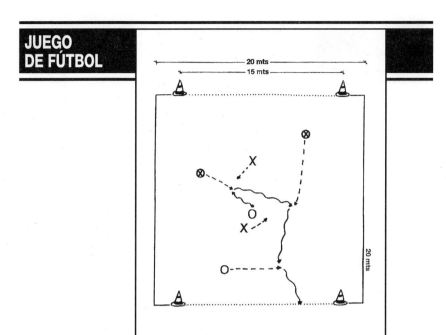

Reglamento: 2:2 + 2C (a)

– Los atacantes más los 2 comodines tratarán de marcar gol en cualquiera de las 2 porterías. Han de conseguirlo conduciendo el balón a través de la línea de meta, dando un máximo de 5 toques seguidos al balón.
– En ningún caso podrán hacer un pase a un compañero, pudiéndoselo ceder únicamente con un relevo.

Aspectos a observar y corregir:

– Elección entre realizar el relevo o continuar con el balón según la intención manifestada por el contrario, para desbordarlo.
– La protección del balón para facilitar el relevo al compañero.

Manifestación del objetivo:

– Se provoca la aparición constante del relevo debido a:
 • imposibilidad de realizar un pase
 • limitación de 5 toques seguidos al balón
 • amplia superioridad numérica del equipo que ataca.

JUEGO CORRECTIVO

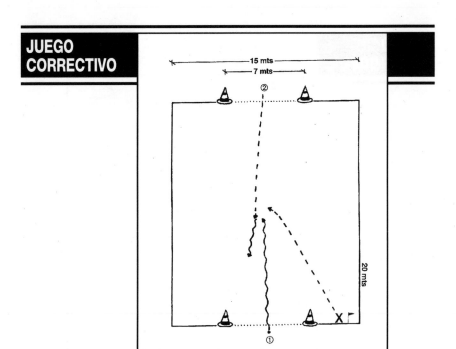

Reglamento: 2:1

– El jugador –1– inicia una conducción (tocando el balón a cada paso) hacia la portería donde está el jugador –2–.

– En ese momento entrarán en acción –2– (yendo hacia su compañero) y –X– (que tratará de recuperar el balón).

– Dependiendo de la acción del defensor el jugador –2– relevará a –1–, o éste continuará con la conducción.

– El gol se logrará conduciendo el balón controlado a través de la línea de meta. Cada atacante deberá marcar gol en la portería contraria de la que inicia la acción.

– El poseedor del balón no podrá superar al contrario con un regate ni con un pase.

– El defensa –X– se colocará a una distancia que le permita llegar en el momento del relevo. –X– puede hacer gol en cualquiera de las porterías golpeando el balón si lo recupera.

Aspectos a observar y corregir:

– Transporte del balón por el lado correcto.   – Protección del balón.
– Decidir correctamente (relevo-conducción).   – No perder el control del balón.

Manifestación del objetivo:

– La necesidad de superar al contrario sin utilizar el regate ni el pase provocará la utilización del relevo.

EJERCICIO CORRECTIVO

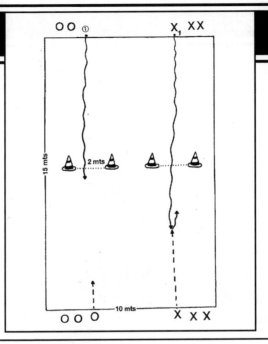

Reglamento:

– A la señal los jugadores –1– de los equipos –O– y –X– iniciarán el ejercicio con una conducción, tocando el balón a cada paso.

– Los jugadores que realizarán el relevo, entrarán en el campo cuando los jugadores –1– crucen la línea de meta.

– Ganará el equipo que su último jugador cruce la línea de meta antes que el contrario.

Aspectos a observar y corregir:

– Evitar la utilización de pases.

– Conducción con el pie del lado por donde se realizará el relevo.

– No perder el control del balón en la conducción.

Manifestación del objetivo:

– Se ha determinado la conducción con toque a cada paso para evitar la aparición del pase y pueda manifestarse el relevo correctamente.

CONTROL DE OPOSICIÓN

– Es la acción de hacerse con el balón que está en posesión de un contrario, arrebatándoselo mediante un contacto y dejándolo en condiciones óptimas de ser jugado.

CONSIDERACIONES

– Incidir en los distintos tipos de Control de Oposición:
  • Frontal
  • Lateral
  • Por detrás
  (Tanto desde parado como en carrera)
– Dada la estrecha relación existente con la acción táctica de la entrada, resulta aconsejable trabajarlas conjuntamente.
– Insistir en que la recuperación del balón debe hacerse de forma controlada para poder iniciar el juego ofensivo.

JUEGO DE FÚTBOL

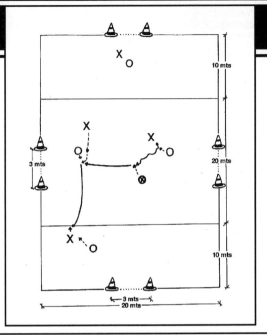

Reglamento: 4:4 + 1C d

– Los jugadores –O– y –X– no podrán salir de su zona de juego. El comodín podrá estar en cualquier zona del campo, jugando siempre con el equipo que defiende.
– Los atacantes tratarán de hacer gol con el balón controlado en la/s portería/s de su zona.
– Los defensas y el comodín tratarán de recuperar el balón de forma controlada para convertirse en atacantes (cambiando el comodín de equipo).
– En caso de que el comodín recupere el balón, lo pasará a uno de sus compañeros de defensa, que inmediatamente se convertirá en atacante.

Aspectos a observar y corregir:

– Una vez recuperado el balón deben realizar la acción técnica más adecuada.
– Ejecución rápida y correcta de los apoyos al jugador que recupera el balón.

Manifestación del objetivo:

– La aparición del control de oposición vendrá provocada por la existencia de situaciones de:
 • 1:1 generadas por la existencia de 4 porterías (1 por cada atacante)
 • 1:2 generadas por el juego en la zona con la participación del comodín.

JUEGO CORRECTIVO

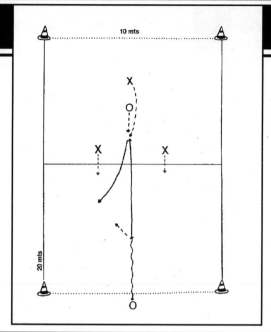

Reglamento: 2:3

– Los jugadores –O– deberán jugar cada uno en su zona, mientras que los –X– podrán hacerlo en cualquier lugar, debiendo iniciar la acción desde su campo.

– Los jugadores –O– deben lograr gol en la portería contraria de la que inician el ataque con balón controlado.

– Los jugadores –X– tratarán de recuperar el balón para marcar el gol de igual forma.

– Cada gol logrado significará un punto para cada jugador del equipo.

– Los jugadores deberán distribuirse de forma que todos realicen los papeles de atacante y defensor. Cada distribución se mantendrá durante 3 minutos.

Aspectos a observar y corregir:

– Rápida transición ataque-defensa de los jugadores –O– al perder el balón.

Manifestación del objetivo:

– La aparición de controles de oposición vendrá provocada por:
  • Las frecuentes situaciones de superioridad numérica de la defensa en cualquiera de las dos zonas de juego, debido al desarrollo discontinuo del mismo.

PASE

– Es la acción de enviar el balón, cuando está en juego, a un compañero concreto.

CONSIDERACIONES

– Incidiremos en los siguientes tipos de pases*:
  • Rasos... cortos y largos
  • Altos
– Incidir en:
  • Realizar los pases con la potencia adecuada.
  • Coordinar el pase con la carrera del compañero.
  • Hacer el pase hacia el compañero para que lo reciba con ventaja.
– Orientar en la utilización de la superficies interior, empeine-interior y empeine-exterior.

* Los restantes tipos de pases, con distintas direcciones y trayectorias, así como la utilización sistemática de diversas superficies de contacto, son objetivos de la etapa de Tecnificación (AT-2).

JUEGO DE FÚTBOL

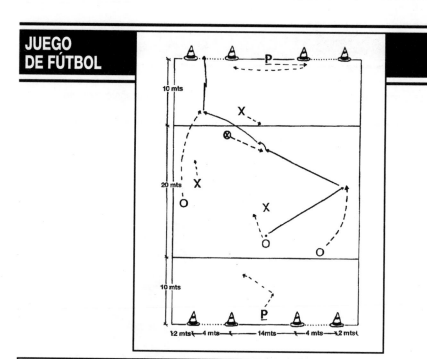

Reglamento: P.3:P.3 + 1C (a)

– Los equipos tratarán de hacer gol en cualquiera de las 2 porterías contrarias pudiendo golpear sólo desde el interior de su zona de ataque.
– El comodín jugará siempre con el equipo que ataca.
– Los porteros deberán defender las 2 porterías de su equipo.
– Cada jugador podrá realizar como máximo 3 toques seguidos al balón.

Aspectos a observar y corregir:

– Efectuar el pase sobre el compañero que se encuentre en la situación más favorable.

Manifestación del objetivo:

– La utilización del pase vendrá provocada por:
  • Limitación reglamentaria de 3 toques
  • Superioridad numérica atacante
  • Existencia de 2 porterías por equipo
  • Amplio terreno de juego en relación al número de jugadores

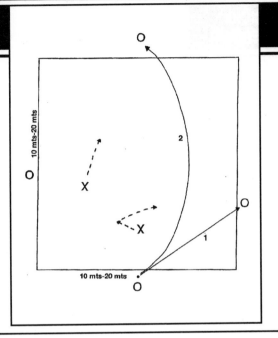

Reglamento: 4:2

– Los jugadores –O–, siempre desde fuera del terreno, realizarán el mayor número de pases durante 3 minutos.
– Los jugadores –X– tratarán de recuperar el balón dentro del terreno.
– El juego finalizará transcurridos los 3 minutos o cuando los jugadores –X– recuperen el balón. Así hasta que los 6 jugadores hayan sido defensas.
– Cada pase significa 1 punto por atacante, siendo vencedor quien más obtenga.

Aspectos a observar y corregir:

– Precisión y potencia adecuadas para lograr el mayor número de pases sin perder el control del balón.
– Utilización de los diferentes tipos de pase según la colocación de los defensas (1) y (2).

Manifestación del objetivo:

– El nivel de dificultad viene determinado por la velocidad de ejecución requerida para obtener el mayor número de pases posible en un tiempo determinado.

EJERCICIO CORRECTIVO

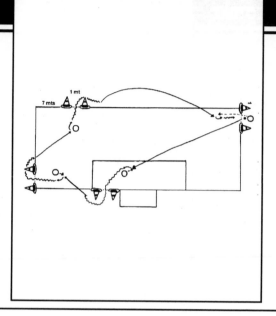

Reglamento:

– El juego se inicia con balón parado en la portería –1–. El jugador situado en dicha portería pasará el balón a cualquiera de sus compañeros, quienes al recibirlo deberán lograr gol en su propia portería con balón controlado.

– El juego finaliza cuando el equipo ha logrado gol en sus 4 porterías. (La portería –1– debe ser traspasada tras iniciar la jugada ya que el saque de salida no se considera gol.)

– Competición simultánea entre varios equipos resultando vencedor el que finalice primero.

Aspectos a observar y corregir:

– Utilización de las superficies de contacto adecuadas según la circunstancia en que se realice el pase.

Manifestación del objetivo:

– La dificultad de la manifestación del objetivo viene determinada por la velocidad de ejecución que requiere la competencia establecida contra otro equipo.

SAQUE

– Es la acción de poner el balón en juego, de:
- Meta
- Inicio
- Esquina
- Banda
- Golpe franco
- Penalty

CONSIDERACIONES

– Los saques guardan una estrecha relación con las estrategias.
 Dado que éstas no son un objetivo del AT-1, se recomienda el trabajo de los saques en situaciones de estrategia en las que no se determinen las acciones tácticas a realizar.
– Es importante que todos los jugadores experimenten la realización de todos los saques.
– En un saque es importante determinar el objetivo que se pretendía alcanzar con la ejecución técnica del mismo.

90 Entrenamiento en el fútbol-base

JUEGO DE FÚTBOL

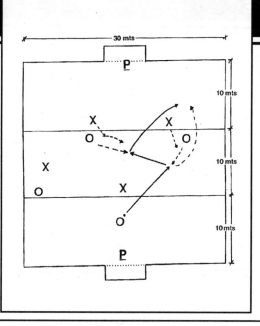

Reglamento: P.4:P.4

– Desarrollo similar a un partido de fútbol con la excepción que cualquier falta cometida en la propia zona de defensa será sancionada con penalty, y las cometidas en el resto del campo lo serán con un libre directo sobre la línea de dicha zona, en el punto situado perpendicularmente al lugar donde se produjo.
– Los saques de banda, portería y esquina se realizarán siguiendo el reglamento.
– Cada 5 minutos se cambiará el objetivo técnico de los saques (1er palo, 2º, zona determinada, saque de banda hacia atrás, etc.).

Aspectos a observar y corregir:

– Orientar la utilización de las diferentes superficies de contacto según el objetivo a lograr con el saque.
– Orientar genéricamente en relación a posibles movimientos ofensivos y defensivos.

Manifestación del objetivo:

– Debido a las reducidas dimensiones del campo en relación al número de jugadores y al reglamento, se provocará la constante aparición de saques.

JUEGO CORRECTIVO

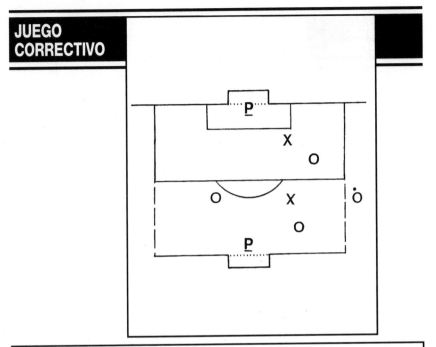

Reglamento: P.4:P.2

– El equipo atacante (4 jugadores) iniciará su acción ofensiva siempre con un tipo de saque (libre directo, saque de banda, de esquina o de meta) a determinar por el técnico.
– La jugada finalizará cuando uno de los 2 equipos marque el gol o el balón salga fuera del terreno, volviendo a iniciarse otra jugada mediante un saque.
– Determinar el lugar desde donde se iniciará la jugada con el saque.
– El jugador escogerá en cada acción el objetivo a conseguir en cada saque.

Aspectos a observar y corregir:

– Orientar sobre la correcta ejecución técnica del saque según el objetivo escogido por el jugador.
– Orientar sobre la correcta elección del objetivo del saque.

Manifestación del objetivo:

– Dado que la reglamentación provoca la aparición de un saque para iniciar la jugada, se manifestarán saques de una forma constante.
– La existencia de superioridad numérica posibilitará que se ponga de manifiesto de forma clara el éxito de un saque que ha sido elegido y ejecutado correctamente.

EJERCICIO CORRECTIVO

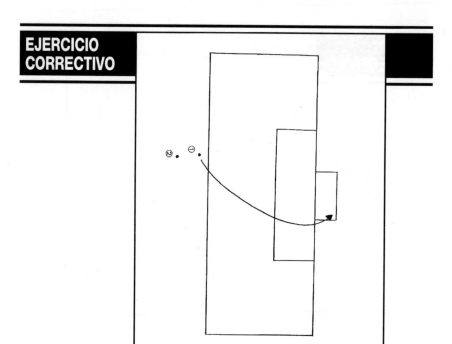

Reglamento: Competición entre parejas

– El jugador –1– escogerá un lugar (fuera del área) desde el que ejecutar un saque (balón parado o saque de banda) con el objetivo de hacer gol en la portería (con o sin portero). En caso de que no haya portero el gol sólo será válido si el balón entra en la portería sin tocar el suelo previamente.
– Si –1– logra gol, el jugador –2– deberá ejecutar el saque desde el mismo punto.
– Si –1– no lo logra, –2– podrá escoger la posición que desee.
– Cada gol logrado significará un punto para el ejecutante.
– El juego será iniciado por el jugador que logre más goles en el lanzamiento de 3 penaltys.

Aspectos a observar y corregir:

– Orientar sobre la correcta ejecución del saque.

Manifestación del objetivo:

– La manifestación del objetivo (saque) puede venir determinada estableciendo los tipos de saque a utilizar.

CENTROS

– Es la acción de enviar el balón, cuando está en juego, a una zona determinada.

CONSIDERACIONES

– Dado que el objetivo del centro es evitar la colocación defensiva del contrario, es fundamental que se realice sin que exista temporización previa por parte del poseedor.

JUEGO DE FÚTBOL

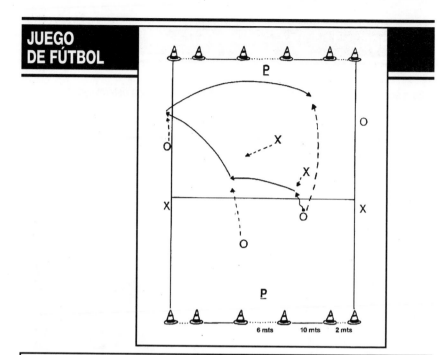

Reglamento: P.4:P.4

– Los atacantes podrán marcar gol en las porterías laterales con conducción del balón o de cabeza, y en la central golpeando a un toque.

– Los extremos sólo podrán lograr gol de cabeza en la portería más próxima, y jugarán en los pasillos laterales, no pudiendo entrar en ellos el resto de jugadores.

– Los extremos, cuando estén en defensa, sólo podrán entrar en el pasillo de su medio campo cuando lo haya hecho el balón.

Aspectos a observar y corregir:

– Dirección del centro hacia la portería (zona) en la que no haya presencia de defensas.

– La realización del centro antes de que el extremo contrario pueda dificultar la acción.

Manifestación del objetivo:

– Dada la ventaja de los extremos (desmarcados y con espacio para progresar) el balón se dirigirá frecuentemente hacia ellos.

– Como sólo se puede lograr gol a 1 toque, y el balón estará en posesión de los extremos, se provocará la realización de centros.

JUEGO CORRECTIVO

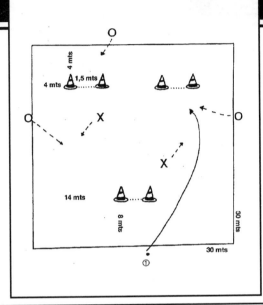

Reglamento: 4:2

– Se iniciará el juego con un centro del jugador –1– hacia la portería menos vigilada.

– En el momento en que el balón entre en el campo los atacantes podrán también penetrar en el terreno para lograr gol.

– El jugador que reciba el balón –atacante– tendrá 2 toques como máximo para marcar gol (el balón debe cruzar la portería desde el lado interior del campo hacia el exterior).

– Si no logra el gol podrá devolver el balón al jugador –1–, de forma directa o a través de un compañero. En este caso se repite la acción sin contabilizar el intento (no se ha perdido el control del balón).

– Si los defensas recuperan el control del balón pueden lograr gol en cualquiera de las 3 porterías. En ese caso se anotarán un punto. Si no logran gol o el balón sale fuera, finalizará la jugada.

– Todos los jugadores deben jugar de defensas y atacantes.

Aspectos a observar y corregir:

– Ejecución del centro según la colocación de adversarios y compañero/s.

Manifestación del objetivo:

– Al no poder enviar el balón a la posición de su compañero, sino a una zona (portería), se está provocando la utilización del centro.

EJERCICIO CORRECTIVO

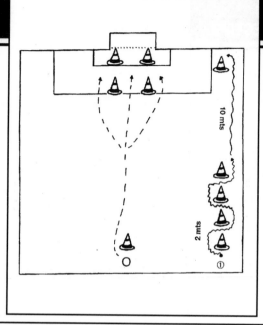

Reglamento:

– El jugador –1– realizará el slalom para centrar el balón tras el cono. Una vez superado el mismo sólo se puede contactar con el balón para efectuar el centro.
– La zona a la que se enviará el centro estará determinada previamente.
– Sólo será válido el gol realizado desde la zona concretada.
– Jugarán 2 equipos simultáneamente en 2 campos distintos. En el caso de que el gol sea logrado por los 2, sólo se lo anotará el que lo logre primero.
– El gol se debe marcar efectuando un sólo toque al balón.

Aspectos a observar y corregir:

– Que prácticamente sin mirar, el jugador –1– sea capaz de precisar la distancia y orientación a las que se encuentra de la zona (para lograr máxima velocidad en la ejecución).

Manifestación del objetivo:

– Se manifiesta un nivel de dificultad alto por la velocidad y precisión requeridas para vencer en el ejercicio.
– En el caso de que la ejecución del centro no sea correcta, se puede realizar sin competición de tiempo (quien logra más goles).

DESPEJE

– Es la acción de enviar el balón, cuando está en juego, a una zona indeterminada.

CONSIDERACIONES

– Aunque se trata de una acción que se utiliza en circunstancias extremas, en el Programa AT-1 se debe evitar en lo posible habituar al jugador a utilizarla frecuentemente.

– En el caso de que se utilice, el jugador deberá procurar enviar el balón al campo contrario, de forma que pueda ser aprovechado por sus delanteros.

DESVÍO

– Es la acción de alterar la dirección y/o trayectoria del balón sin posibilidad de darle, de forma voluntaria, una dirección y/o trayectoria determinada.

CONSIDERACIONES

– Consideramos el desvío como una acción técnica que se realiza en circunstancias extremas que no permiten la ejecución correcta de ninguna otra acción.

REMATE

- Es la acción de golpear el balón, cuando está en juego, hacia la portería contraria con la intención de marcar gol.

CONSIDERACIONES

- Debemos habituar al jugador a efectuar el remate sin vacilaciones cada vez que se presente una situación adecuada.
- Debemos provocar juegos en los que se manifieste la aparición de remates con pies y cabeza.

JUEGO DE FÚTBOL

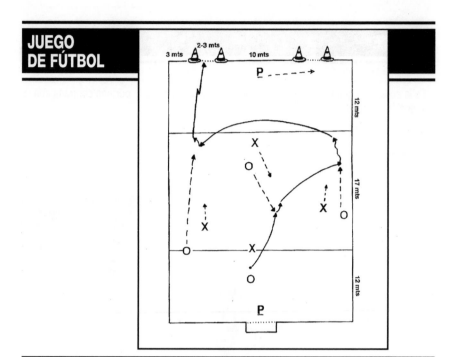

Reglamento: P.4:P.4

– Los jugadores –X– tratarán de hacer gol sobre la portería reglamentaria defendida por el portero del equipo –O–.
– Los jugadores –O– tratarán de hacer gol en cualquiera de las 2 porterías defendidas por el portero –X–.
– Ambos equipos sólo pueden rematar desde fuera del área, o de cabeza desde cualquier punto.
– Los equipos alternarán los campos de juego.

Aspectos a observar y corregir:

– Potencia y precisión en el golpeo para evitar la oposición del portero.
– Incidir en la ejecución rápida del remate cuando exista posibilidad de hacerlo (situación adecuada), para evitar la oposición de los contrarios.

Manifestación del objetivo:

– La reglamentación provoca la necesidad de golpear el balón y rematar de cabeza para vencer en el juego.
– La acción del remate vendrá requerida desde diversos puntos del campo.

JUEGO CORRECTIVO

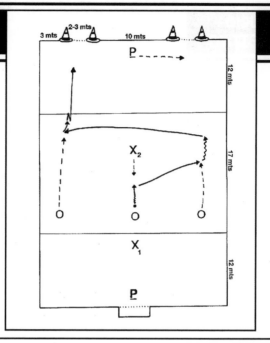

Reglamento: P.3:P.2

– Los jugadores –O– deben lograr gol en cualquiera de las 2 porterías del equipo –X–, golpeando el balón desde fuera del área, o de cabeza desde cualquier punto.

– Durante el juego el balón nunca puede ir en horizontal o hacia atrás (siempre debe progresar). Excepto en la acción anterior al remate.

– El jugador –X₁– jugará en el área del equipo contrario. En el caso de que –X₂– o el portero recuperen el balón, podrán marcar gol, contando con la participación de –X₁–, en la portería reglamentaria (idéntica reglamentación que el equipo –O– para marcar gol).

– La jugada finaliza cuando uno de los equipos marca gol o el balón sale fuera del campo.

Aspectos a observar y corregir:

– Incidir en la colocación adecuada de los jugadores que apoyan, de forma que estén en disposición para realizar rápidamente un remate.

Manifestación del objetivo:

– La reglamentación (progresión constante del balón) provocará la rápida aparición de situaciones de remate.

EJERCICIO CORRECTIVO

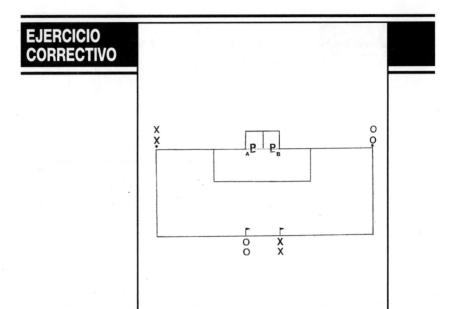

Reglamento:

– A la señal, los jugadores con balón situados en la línea de meta (altura área de penalty o de meta), pasarán sobre sus compañeros situados fuera del área y detrás de la señal, perpendicularmente al palo contrario del pase.
– Cada pareja debe realizar gol en la portería del lado de donde viene el pase (–O– en Pb y –X– en Pa).
– Logrará un punto el jugador que antes marque el gol.
– En una ronda todos los jugadores deben efectuar 2 pases y 2 remates (1 de cada lado).
– Repetir la ronda cambiando los porteros de portería.

Aspectos a observar y corregir:

•– Analizar la acción previa al remate, según la situación planteada en cada acción de juego (control según orientación y potencia del pase, etc.).

Manifestación del objetivo:

– La oposición real del portero (salidas, colocación,...) y la necesidad de marcar antes que el contrario, provocan un nivel de dificultad medio-alto.

COBERTURA DEL BALÓN

– Es la acción que tiene como único objetivo proteger el balón de la acción del contrario.

CONSIDERACIONES

– Se deben distinguir dos situaciones en las que se produce la cobertura:
   • Proteger el balón para temporizar
   • Proteger el balón de la acción del contrario en las distintas acciones técnicas a realizar.

JUEGO DE FÚTBOL

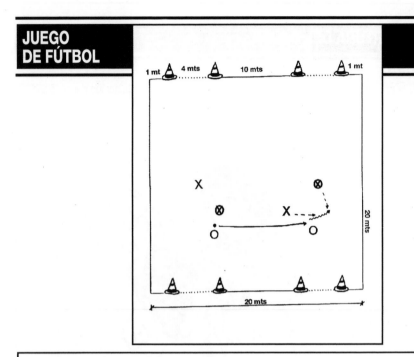

Reglamento: 2:2+2 Cd

– Los atacantes podrán lograr gol en las porterías contrarias, rematando desde cualquier punto del campo.
– Para que el gol sea válido deben tocar el balón los 2 atacantes en la misma jugada.
– Los defensas (2 + 2 comodines) deberán recuperar el balón para hacer gol,
– Si lo recupera un comodín, deberá jugar el balón a un jugador defensivo, antes de volver a defender a favor del otro equipo.

Aspectos a observar y corregir:

– Búsqueda constante del apoyo por parte del compañero del poseedor.
– Incidir en las acciones que permitan mantener la posesión del balón.

Manifestación del objetivo:

– La superioridad defensiva provocará la necesidad de proteger el balón para:
  • Recibir el apoyo del compañero
  • Evitar el robo del balón
– La necesidad de que ambos atacantes toquen el balón antes de marcar gol impedirá la ejecución de acciones individuales innecesarias o excesivamente precipitadas.

JUEGO CORRECTIVO

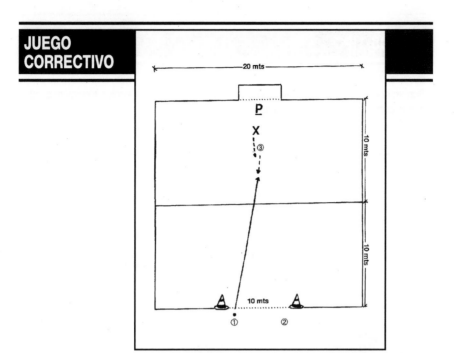

Reglamento: 3:P.1

– El jugador –1– iniciará la acción pasando el balón al 3, que debe jugar dentro de la zona de ataque. A partir de ese momento, los jugadores –1– y –2– correrán a apoyar al poseedor.

– –1– y –2– no podrán recibir el balón fuera de la zona de ataque.

– El defensa –X– debe intentar recuperar el balón antes de que los jugadores –1– y –2– penetren en su zona, para evitar la superioridad numérica.

– Puede jugar en cualquier parte del campo y marcar gol desde cualquier posición si recupera el balón.

– La jugada finaliza cuando uno de los equipos marca gol o el balón sale fuera del campo.

Aspectos a observar y corregir:

– Protección del balón de –3– al realizar el control.

– Proteger el balón con una orientación que permita pasarlo al compañero mejor situado.

Manifestación del objetivo:

– Al tener que esperar el jugador –3– a que sus compañeros entren en la zona de ataque para jugarles el balón, tendrá la necesidad de protegerlo de la acción del contrario que tratará de recuperarlo.

GESTOS-TIPO

– Son un conjunto de acciones físicas que nos permiten realizar la acción técnica más adecuada con la mayor eficacia posible.

CONSIDERACIONES

– Trabajaremos los siguiente gestos:
  • Tackle   • Lucha aérea   •Carga
  • Tackle con deslizamiento   • "Plongeon" (Cabezazo en plancha)
– Iniciaremos la mejora de estos gestos mediante ejercicios correctivos en los que se utilicen superficies de protección (colchonetas).
– Seguiremos el siguiente proceso:
  1) Desarrollo de la coordinación propia del movimiento.
  2) Aplicación de la coordinación en relación a un punto estático (balón, etc.).
  3) Aplicación de la coordinación al balón en movimiento.
  4) Aplicación de la acción con oposición.

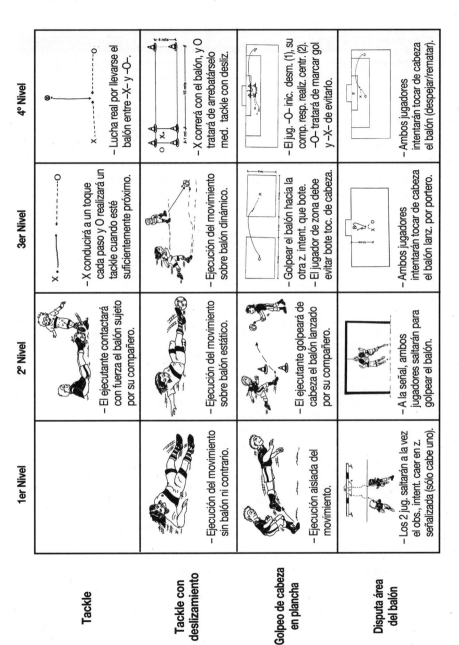

	1er Nivel	2º Nivel	3er Nivel	4º Nivel
Tackle	– Ejecución del movimiento sin balón ni contrario.	– El ejecutante contactará con fuerza el balón sujeto por su compañero.	– X conducirá a un toque cada paso y O realizará un tackle cuando esté suficientemente próximo.	– Lucha real por llevarse el balón entre –X– y –O–.
Tackle con deslizamiento	– Ejecución aislada del movimiento.	– Ejecución del movimiento sobre balón estático.	– Ejecución del movimiento sobre balón dinámico.	– X correrá con el balón, y O tratará de arrebatárselo med. tackle con desliz.
Golpeo de cabeza en plancha		– El ejecutante golpeará de cabeza el balón lanzado por su compañero.	– Golpear el balón hacia la otra z. intent. que bote. – El jugador de zona debe evitar bote toc. de cabeza.	– El jug. –O– inic. desm. (1), su comp. resp. realiz. centr. (2). –O– tratará de marcar gol y –X– de evitarlo.
Disputa área del balón	– Los 2 jug. saltarán a la vez el obs., intent. caer en z. señalizada (sólo cabe uno).	– A la señal, ambos jugadores saltarán para golpear el balón.	– Ambos jugadores intentarán tocar de cabeza el balón lanz. por portero.	– Ambos jugadores intentarán tocar de cabeza el balón (despejar/rematar).

TÉCNICA DEL PORTERO

CONCEPTOS DE LA TÉCNICA	ACCIONES DE CADA CONCEPTO
– Manipulación del balón Conjunto de acciones que tienen por objetivo la familiarización de las diferentes superficies de contacto del jugador con el balón.	**– Toques de balón** • con las manos • con los brazos • con los pies • con la cabeza • con los muslos
– Transporte del balón Conjunto de acciones que tienen por objetivo desplazarse con el balón.	**– Acciones del Transporte** • Conducción (ver ficha trabajo jugador). • Regate (ver ficha trabajo jugador)
– Recepción del balón Conjunto de acciones que tienen por objetivo hacerse con el balón.	**– Acciones de la Recepción** • Parada • Blocaje • Recogida • Control (ver ficha jug.)
– Golpeo Conjunto de acciones que tienen por objetivo contactar con el balón, desplazándolo con intencionalidad fuera del propio control.	**– Acciones del Golpeo** • Pase (ver ficha jugador) • Saque (ver ficha jugador) • Centro (ver ficha jugador) • Despeje • Desvío
– Lanzamientos Conjunto de acciones que tienen por objetivo enviar el balón con la/s mano/s fuera del propio control con intencionalidad.	**– Acciones** • Lanzamientos
– Cobertura del balón Conjunto de acciones que tienen por objetivo proteger el balón de la acción del contrario.	**– Acciones en la Cobertura del balón** • Protección del balón parado (ver ficha trabajo jugador) • Protección del balón en movimiento (ver ficha jugador)
– Gestos-tipo Son un conjunto de acciones físicas que nos permiten realizar la acción técnica más adecuada con la mayor eficacia posible.	**– Acciones** • Estiradas • Entrada • Saltos • Pantalla • Caídas • Posición • Carga Fundamental

MANIPULACIÓN DEL BALÓN

- Son el conjunto de acciones que tienen por objetivo conseguir la familiarización de las diferentes superficies de contacto del portero con el balón.

CONSIDERACIONES

- Con estas acciones pretendemos mejorar el dominio del balón con las manos, que es un aspecto diferencial del portero.

JUEGO CORRECTIVO

Reglamento: 2:1

- Los jugadores –O– tratarán de pasar el balón a la zona contraria, sin cogerlo en ningún momento, utilizando una o las dos manos, u otra superficie corporal. Podrán realizar un máximo de 4 toques seguidos.
- El jugador –X– tratará de interceptarlo.
- El balón puede botar una vez dentro del campo y seguir la jugada.
- La jugada finalizará si el balón bota fuera del terreno, si lo hace más de una vez en el interior, o si el defensor lo intercepta. En este caso, el último jugador que haya tocado el balón pasará a jugar en la zona de defensa.
- Si bota 2 veces en el interior de una zona, será el jugador de la misma el que se coloque para defender.

Aspectos a observar y corregir:

- Utilización adecuada de cada una de las diferentes superficies (puños, palma y dedos) para superar al contrario.

Manifestación del objetivo:

- La necesidad de enviar el balón a la zona contraria, comporta la relación del balón con las diferentes superficies de contacto.

EJERCICIO CORRECTIVO

Reglamento:

– Realizar distintos ejercicios de malabarismo con balones, por ej.:
  • el balón de la mano derecha será lanzado contra la pared, pasando el balón de la izquierda a la derecha.
  • recoger con la mano izquierda el balón que se lanzó con la derecha.
  • repetir continuadamente y cambiar de sentido la ejecución.

Aspectos a observar y corregir:

– Grado de coordinación y ritmo de ejecución.
– Aumento progresivo de la dificultad.
– Seguridad en el contacto.

Manifestación del objetivo:

– Los distintos y continuos contactos que se realizan con las manos sobre el balón permitirán familiarizarse con el mismo.

PARADA

– Es la acción de hacerse con el balón, sujetándolo con las manos.

CONSIDERACIONES

– Debemos corregir la colocación de manos y dedos.
– Se han de provocar situaciones en que esta acción aparezca:
  • en salto
  • con pies en el suelo en estirada.
– Es aconsejable habituar al portero a proteger el balón con el cuerpo y los brazos una vez que lo haya parado.

JUEGO DE FÚTBOL

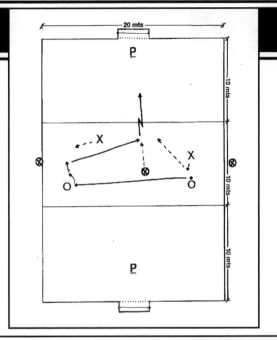

Reglamento: P.2 : P.2 + 3Ca

– El equipo poseedor del balón tratará de marcar gol en la portería contraria, pudiendo hacerlo mediante un tiro desde fuera del área (10 m o con un remate de cabeza desde cualquier punto del campo.

– El equipo atacante contará con la colaboración de 3 comodines (2 extremos y 1 jugador de campo). Los extremos no podrán penetrar en el terreno de juego.

– Sólo se podrá lograr gol con el pie desde el interior del área,a un toque, en el caso de que exista un rechace del portero.

– Para que el gol sea válido el balón deberá entrar por la mitad superior de la portería. (Utilizar una goma elástica que no pueda ocasionar ningún peligro a los jugadores, que estará situada a la altura del pecho del portero.)

Aspectos a observar y corregir:

– Correcta colocación de manos y dedos.   – Coordinación en el salto en relación al balón.

– Ante balones muy potentes o muy esquinados (en los que la parada pueda resultar muy comprometida) es preferible utilizar el despeje o el desvío.

Manifestación del objetivo:

– La parada vendrá provocada por: • la superioridad numérica atacante

• la acción de los extremos (centros) • la limitac. de marcar gol a una altura mín. (pecho del portero)

JUEGO CORRECTIVO

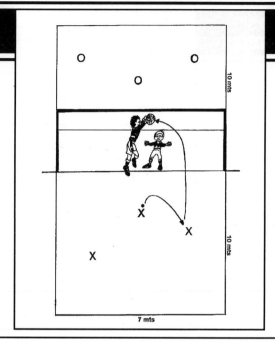

Reglamento:

– Realización de un partido similar al voleibol con las siguientes variantes:
  • los jugadores –X– y –O– no pueden jugar el balón con las manos.
  • el balón debe pasar entre el larguero y la goma divisoria
  • en cada campo hay un jugador que tratará de parar los balones enviados por los jugadores. Si paran un balón se anotan 1 punto y si lo despejan o lo desvían se continúa el juego con pérdida de saque para el equipo al que se le desvió el balón.

Aspectos a observar y corregir:

– Correcta colocación del portero.

Manifestación del objetivo:

– El constante paso de balones a la altura adecuada para realizar una parada provocará la utilización de esta acción de forma frecuente.

EJERCICIO CORRECTIVO

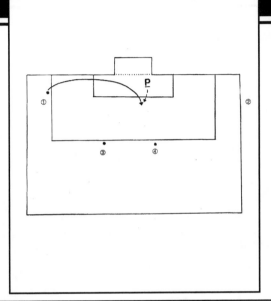

Reglamento:

– Los jugadores –1– y –2– realizarán centros sobre la portería, debiendo el portero intentar detener los balones (1er, 2° palo, abiertos, cerrados, etc.).
– Los jugadores –3– y –4– tirarán buscando las escuadras, mientras el portero intentará también detener los balones (derecha, izquierda, con potencia, con efecto, etc.).

Aspectos a observar y corregir:

– En los centros, intentar parar los balones en el punto más alto posible.

Manifestación del objetivo:

– Nivel mínimo de dificultad.

BLOCAJE

– Es la acción de detener el balón con el cuerpo, sujetándolo con los brazos.

CONSIDERACIONES

– Se han de provocar situaciones en las que esta acción aparezca:
  • en salto
  • con los pies en el suelo.

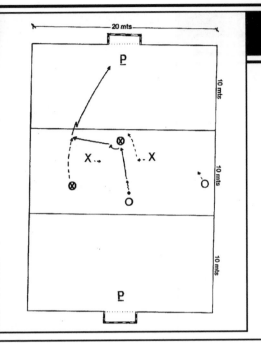

Reglamento: P.2:P.2 + 2Ca

– El equipo poseedor del balón intentará lograr gol, ayudado por los 2 comodines.
– El gol se debe lograr tirando desde fuera de la zona de portería (10 m), o rematando de cabeza desde cualquier punto.
– Nadie puede entrar en la zona de portería hasta que lo haya hecho el balón.
– Las porterías serán similares a las de balonmano.

Aspectos a observar y corregir:

– Manifestación de una correcta colocación, de forma constante.
– Correcta ejecución de la acción.
– Colocación de pecho y brazos para evitar la pérdida del balón.

Manifestación del objetivo:

– La aparición del objetivo vendrá provocada por:
• las dimensiones de las porterías
• la limitación reglamentaria de tirar desde fuera de la zona de portería.

JUEGO CORRECTIVO

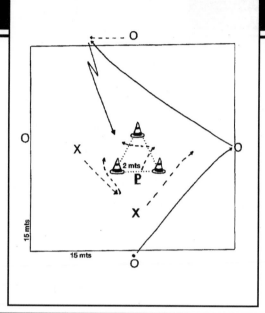

Reglamento: 4 : P.2

– Los jugadores –O– tratarán de hacer gol en cualquiera de las 3 porterías formadas por los conos. Para ello se pasarán el balón, tirando a las porterías desde fuera del terreno señalizado.

– Los jugadores –X– tratarán de evitar que el balón llegue a portería, interceptando los pases y los tiros.

– Cada 3 minutos defenderá una pareja distinta.

– Vencerá la pareja que haya encajado menos goles.

– Este juego será desarrollado simultáneamente por diferentes grupos, resultando portero vencedor aquel que logre un mayor número de blocajes.

Aspectos a observar y corregir:

– Rápida colocación del portero ante los continuos desplazamientos del balón.

Manifestación del objetivo:

– La aparición del blocaje vendrá provocada por:
 • las dimensiones reducidas de las porterías
 • facilidad para tirar a portería (superioridad numérica).

EJERCICIO CORRECTIVO

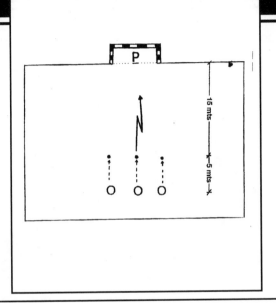

Reglamento:

– A 12-15 m de una portería de balonmano se colocarán 3 jugadores con un balón cada uno. Correrán todos a la vez hacia sus balones, tirando sólo uno (que previamente habrán acordado).
– El portero deberá detener el balón mediante un blocaje.

Aspectos a observar y corregir:

– Rápida y correcta colocación del cuerpo para detener el balón.
– Correcta coordinación del movimiento.

Manifestación del objetivo:

– La aparición del objetivo vendrá determinada por la reglamentación.
– Alto nivel de dificultad debido a la proximidad del tiro y a la facilidad de ejecución del mismo. Influye también la incertidumbre sobre qué jugador será el que golpee.

RECOGIDA

– Es la acción de hacerse con el balón, que llega frontalmente y por el suelo, recogiéndolo con las manos.

CONSIDERACIONES

– El portero deberá evitar la existencia de espacio por el que pueda pasar el balón colocando correctamente las piernas, o bien flexionando una rodilla.
– Es importante "recoger" el balón con las palmas de las manos por debajo del mismo aprovechando su impulso, para protegerlo con el cuerpo y los brazos inmediatamente después de la recogida.

JUEGO DE FÚTBOL

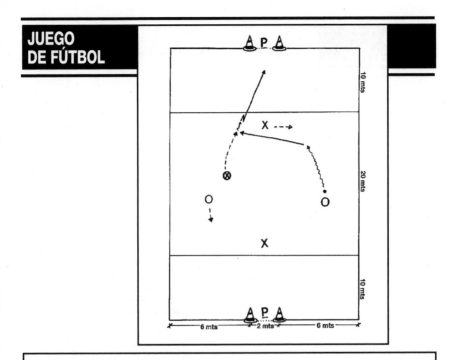

Reglamento: P.2:P2 + 1 Ca

– El equipo poseedor del balón tratará de marcar gol en cualquiera de las 2 porterías, para lo que contará con la colaboración del comodín.
– Para marcar el gol se debe rematar desde fuera de la zona de portería, debiendo ir raso el balón.
– Ningún jugador, excepto el portero, podrá jugar en el interior de las zonas de portería.

Aspectos a observar y corregir:

– Mantener una correcta colocación y orientación en relación al balón para poder efectuar adecuadamente la recogida.

Manifestación del objetivo:

– La reglamentación provocará, si el portero logra una buena colocación, la aparición constante de recogidas.

JUEGO CORRECTIVO

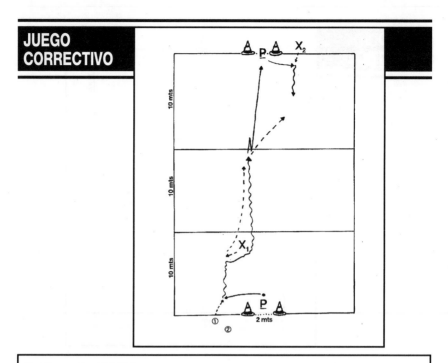

Reglamento: P.1:P.1

– El atacante 1 entrará en el terreno de juego para recibir el balón de su portero e intentar marcar gol. Para ello deberá tirar raso desde fuera de la zona de portería contraria.

– El defensor 1 tratará de evitarlo. No podrá salir de la zona de portería hasta que lo haya hecho el balón.

– Una vez efectuado el tiro el defensor 1 descansará, y el atacante 1 entrará en la zona contraria para defender a X_2, que entrará en el terreno recibiendo el balón de su portero.

Aspectos a observar y corregir:

– Distintas posiciones del cuerpo para efectuar la recogida.

– Realización de la acción de inicio de juego de forma rápida y correcta.

Manifestación del objetivo:

– La reglamentación provocará la aparición de tiros rasos, lo que posibilitará una continua utilización de la recogida.

EJERCICIO CORRECTIVO

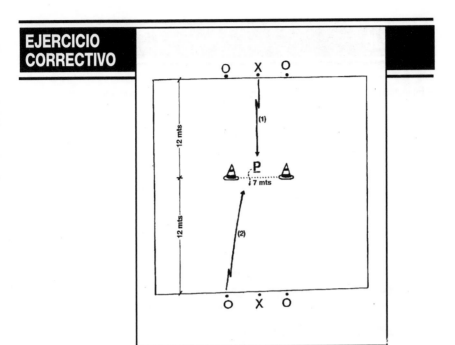

Reglamento:

– Se golpearán los balones ordenadamente, uno desde cada lado de la portería.
– Los jugadores –O– tirarán raso al 1er palo, y los –X– de igual forma pero hacia el centro de la portería.
– El portero efectuará alternativamente una recogida con flexión de rodilla y otra con piernas extendidas.

Aspectos a observar y corregir:

– Continua y correcta colocación del portero en relación a los jugadores que golpean.
– Correcta ejecución de la recogida.

Manifestación del objetivo:

– El objetivo se manifiesta a un nivel básico de habilidad.

DESPEJE

– Es la acción de enviar el balón, cuando está en juego, a una zona indeterminada.

CONSIDERACIONES

– Distinguimos esta acción de la realizada por el jugador, dada la posibilidad que tiene el portero de ejecutarla con los puños.
– Provocar la utilización del despeje con:
  • 1 puño
  • 2 puños
  • Pie
  • Cabeza

JUEGO DE FÚTBOL

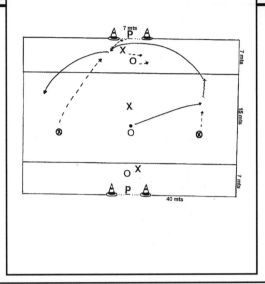

Reglamento: P.3:P.3 + 2 Ca

– El equipo poseedor del balón intentará marcar gol para lo que contará con la colaboración de los 2 comodines.
– El gol sólo se puede lograr con un remate de cabeza.
– Cada equipo deberá tener un jugador fijo en el interior de cada zona de portería.

Aspectos a observar y corregir:

– Despejar hacia una zona donde no pueda recuperar el balón el contrario.
– Contactar con el balón en el punto más alto posible.
– Anticipación a la acción del contrario.

Manifestación del objetivo:

– La aparición de balones centrados, y la constante presencia de defensas y atacantes en las zonas de portería, provocará la utilización repetida de despejes.

JUEGO CORRECTIVO

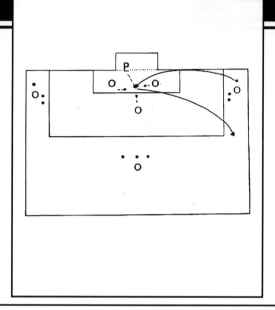

Reglamento: P:3

– Cada jugador centrará alternativamente 1 balón al 1er palo, otro al 2°, y el último al punto de penalty.
– En cada balón los 3 rematadores tratarán de marcar gol.
– El portero tratará de evitar el remate.

Aspectos a observar y corregir:

– Colocación del portero a partir del 2° palo.
– Uso de la superficie más adecuada para cada situación de despeje.
– Dirección del despeje.
– Correcta protección en el salto.
– Seguridad y firmeza en el contacto con el adversario.

Manifestación del objetivo:

– Las distintas direcciones y procedencias de los centros, y la superioridad numérica de los atacantes respecto al portero, provocarán la frecuente utilización de diferentes tipos de despejes.

EJERCICIO CORRECTIVO

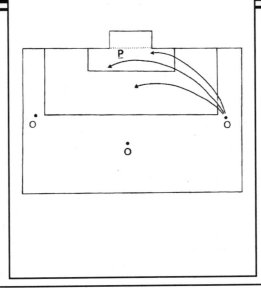

Reglamento:

– Los jugadores que lanzan o centran los balones, lo harán con precisión de forma que efectúen centros:
- "bombeados"
- cortos
- abiertos
- fuera del área
- a media altura
- a portería

– Determinar los distintos despejes a utilizar en cada balón.

Aspectos a observar y corregir:

– Incidir en la orientación lateral del despeje.
– Potencia en el despeje.
– Coordinación en el salto.

Manifestación del objetivo:

– Se trata de un trabajo de habilidad para la mejora de los distintos tipos de despeje.

DESVÍO

– Es la acción de alterar la dirección y/o trayectoria del balón, sin posibilidad de darle, de forma voluntaria, una nueva dirección y/o trayectoria determinada.

CONSIDERACIONES

– Distinguimos esta acción de la realizada por el jugador dada la posibilidad que tiene el portero de ejecutarla con las manos.
– Provocar la utilización del desvío con:
  • manos
  • pies

JUEGO DE FÚTBOL

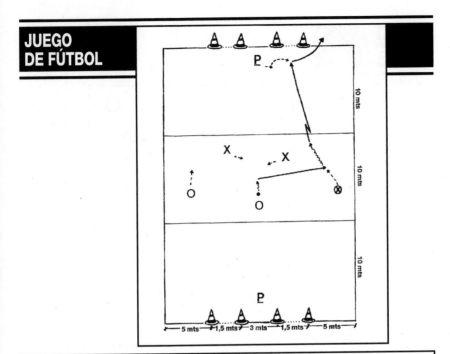

Reglamento: P.2:P.2 + 1Ca

– El equipo poseedor del balón tratará de lograr gol en cualquiera de las porterías contrarias:
- tirando desde fuera del área
- rematando de cabeza desde cualquier punto del campo.

– Ningún jugador podrá entrar en la zona de portería excepto:
- para rematar de cabeza
- cuando el balón se encuentre en ella.

Aspectos a observar y corregir:

– Correcta colocación.
– Incidir en el impulso para alcanzar a desviar el balón.

Manifestación del objetivo:

– La necesidad de defender dos porterías separadas provocará la utilización del desvío.

JUEGO CORRECTIVO

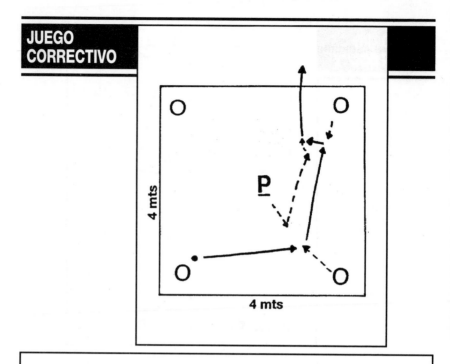

4 mts

4 mts

Reglamento: 4:P

– Los jugadores deberán mantener la posesión del balón dentro de los límites del terreno, jugando a un toque.
– El portero debe lograr que el balón salga fuera del campo el mayor número de veces posible, durante 1 minuto, descontándose el tiempo en que el balón se encuentre fuera del campo.
– Sólo se contabilizarán los balones que salgan desviados por el portero.
– El portero debe estar en el centro del campo para iniciar el juego.

Aspectos a observar y corregir:

– Evitar correr detrás del balón, utilizando saltos y estiradas para desviarlo.
– Elección de las superficies más adecuadas para efectuar cada uno de los desvíos.

Manifestación del objetivo:

– El constante desplazamiento del balón y las reducidas dimensiones del terreno provocarán la utilización de desvíos.

EJERCICIO CORRECTIVO

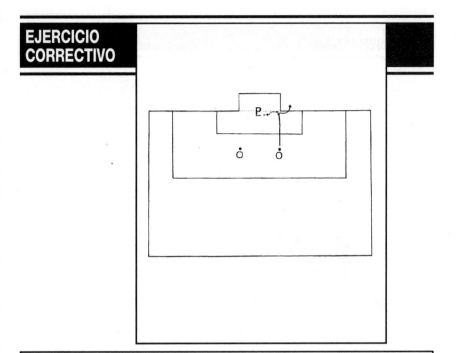

Reglamento:

– 2 jugadores lanzarán balones a la altura de los postes para que el portero tenga que desviarlos para evitar el gol.
– Se lanzarán 6 balones seguidos.
– Los balones serán lanzados altos, rasos y a media altura.
– En los balones altos, los lanzadores deberán hallarse más próximos entre ellos.

Aspectos a observar y corregir:

– Realizar la acción con firmeza para desviar suficientemente el balón.

Manifestación del objetivo:

– El desvío es requerido como trabajo básico de habilidad.

LANZAMIENTOS

– Es la acción de enviar el balón con las manos, intencionadamente, fuera del propio control.

CONSIDERACIONES

– Distinguiremos dos tipos:
  • alto
  • raso
– Incidir en la realización del lanzamiento
  • con la potencia adecuada
  • coordinándolo con la carrera o colocación del compañero
  • de forma que el compañero reciba el balón con ventaja.

JUEGO DE FÚTBOL

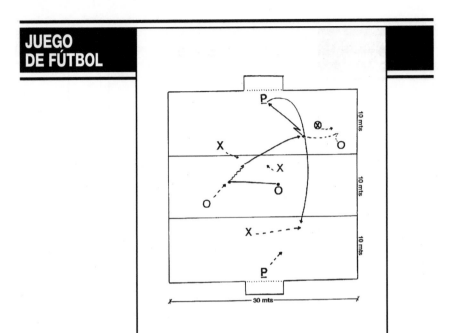

Reglamento: P.3:P.3 + 1Cd

– Ambos equipos deberán mantener a un atacante en la zona de portería contraria.
– El equipo que defienda en cada momento contará con la colaboración de 1 comodín.
– Todos los saques del portero y de portería deberán realizarse con la mano.

Aspectos a observar y corregir:

– El portero deberá disponer de balones en su portería para iniciar rápidamente el juego con un lanzamiento, cuando el balón salga por la línea de fondo.
– Incidir en la realización rápida del lanzamiento.

Manifestación del objetivo:

– La existencia de un jugador en la zona de portería contraria provocará, cuando el portero se haga con el balón, la ejecución rápida de un lanzamiento.

JUEGO CORRECTIVO

Reglamento: P.2:2

– Los jugadores atacantes deben lograr gol conduciendo el balón a través de cualquiera de las 3 porterías libres.
– Dispondrán de 15 segundos para conseguirlo.
– El juego se iniciará siempre con un lanzamiento del portero.
– Si los defensas recuperan el balón, podrán marcar gol en la portería ocupada por el portero.

Aspectos a observar y corregir:

– Correcta ejecución del lanzamiento para facilitar la consecución rápida del gol por parte de un compañero.

Manifestación del objetivo:

– La existencia de una portería libre, y de una situación de igualdad numérica obligará a realizar de forma precisa el lanzamiento, ya que de otra forma se propiciará el contraataque de los defensas.

EJERCICIO CORRECTIVO

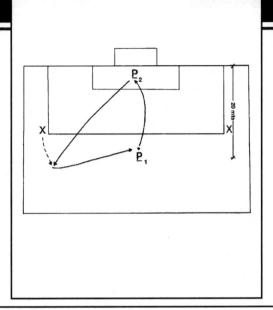

Reglamento:

– El P_1 lanzará balones altos y rasos al P_2. Éste, tras controlar el balón, lo lanzará a uno de los laterales (alternando derecha e izquierda), por delante del mismo, de forma que deba controlarlo en carrera.
– El lateral, tras controlar, pasará el balón a P_1.

Aspectos a observar y corregir:

– Potencia y precisión en el lanzamiento.
– Coordinar el lanzamiento con la carrera del compañero.

Manifestación del objetivo:

– El objetivo se manifestará a través de la realización del lanzamiento al hombre y al espacio.

GESTOS-TIPO

– Son un conjunto de acciones físicas que nos permiten realizar la acción técnica más adecuada con la mayor eficacia posible.

CONSIDERACIONES

– Trabajaremos los siguientes Gestos-Tipo:
 • estirada • saltos   • caídas   • cargas
 • entrada • pantalla   • posición fundamental
– Seguiremos el siguiente proceso:
 1. Desarrollo de la Coordinación propia del movimiento.
 2. Aplicación de la acción en relación a un punto estático (balón, poste, etc).
 3. Aplicación de la acción en relación al balón en movimiento.
 4. Aplicación de la acción con oposición.

	1er Nivel	2º Nivel	3er Nivel	4º Nivel
Estiradas	– Ejecución sobre colch. o zona de arena (evitar lesiones y aumento conf.).	– El portero deberá tocar el balón que se irá situando progresivam. más lejos.	– Ídem 2º Nivel sobre un balón lanzado por un compañero.	– El port. deberá evitar goles que pueda lograr al atac. tiran. desde fuera del área.
Saltos	– Ejecución de div. saltos (ángel, 1/2 gir., giro comp., carpa, etc.). Poner obstác.	– Tocar los balones suspen. mediante saltos verticales y frontal.	– Parar el balón lanzado por el compañero en el punto más alto posible.	– Saltar en busca del balón lanzado por un compañ. ante opos. real delantero.
Cargas	– Deseq. al portero de div. modos, durante la ejecu. de dif. tipos de salto.	– Obstac. y deseq. portero que int. alcanz. el bal. dif. salt. realiz. en dist. posic.	– Obstac. y deseq. portero que int. hacerse con balón lanz. por un compañero.	– El port. debe hacerse con balón ante 3 contr. que intentan remat., obstacul. y deseq.
Entrada por el suelo	– Ejecución del movimiento sin balón ni contrario • Tackle con deslizamiento • Entrada con las manos.	– Ídem Nivel 1º pero con balón estático.	– Ídem Nivel 2 y 3 pero con balón en movimiento.	– Ejec. del mov. ante un advers. que posee balón y presenta oposición real.

CAPÍTULO 4

CONCEPTOS Y
ENTRENAMIENTO DE LA TÁCTICA

IMPORTANCIA Y NECESIDAD DE LA TÁCTICA EN LA ETAPA DE INICIACIÓN

Resulta evidente que un jugador dispone de la técnica, de la táctica, de las capacidades físicas y de las psicológicas para superar la oposición del contrario.

Si tenemos en cuenta que durante un partido el jugador no está en contacto con el balón durante más del 90% del tiempo de juego, el conocimiento y dominio de la táctica aparece como un elemento fundamental para conseguir un máximo rendimiento, tanto individual como colectivo.

Del mismo modo que los conceptos básicos de la técnica deben desarrollarse en la etapa de iniciación, los conceptos tácticos fundamentales deben también ser adquiridos en estas primeras edades.

Podemos ofrecer diferentes razonamientos para justificar esta afirmación:

– El fútbol tiene un marcado carácter táctico (deporte colectivo), por lo que la presencia de diferentes acciones de juego sin balón resultan inevitables.

– Cualquier acción técnica o física está condicionada por aspectos tácticos (relación entre compañeros, adversarios, balón, defensa/ataque).

– El alumno presenta durante la etapa de iniciación una gran capacidad y motivación para adquirir este tipo de aprendizaje.

– Si no se provocan aprendizajes tácticos correctos desde el principio, se adquieren hábitos incorrectos que, al automatizarse por su reiterada utilización, son difíciles de modificar posteriormente. Por ejemplo, jugadores no formados tácticamente, en una situación de 3:1 manifiestan espontáneamente diferentes acciones defectuosas.

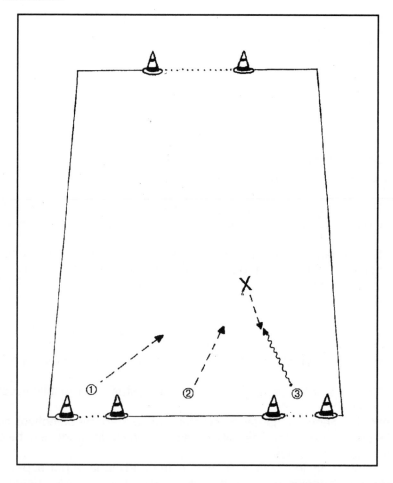

Los jugadores –1–, –2– y –3– deben lograr gol, conduciendo el balón a través de la línea de meta. El defensor –4– tratará de evitarlo, recuperando el balón e intentando a su vez el gol, golpeando hacia una de las dos porterías.

Algunos de los errores que de forma habitual se manifiestan podrían ser:

• El poseedor del balón conduce hacia el defensa en lugar de hacerlo hacia el espacio libre.

• Los compañeros del poseedor del balón, se aproximan hacia él en lugar de alejarse (creando amplitud), facilitando la acción del defensa.

• Entrada precipitada del defensa hacia el poseedor del balón en lugar de mantener una distancia y orientación correctas que eviten ser desbordado.

• Falta de profundidad en uno de los atacantes para poder desbordar al defensa con un sólo pase.

• Mantener la posesión del balón, por parte del jugador que lo conduce, hasta que se produce la presión del contrario, en lugar de evitar el riesgo de pérdida de balón existente en el 1:1 mediante un pase al compañero desmarcado.

Por todo ello, pensamos que la táctica (tanto defensiva como ofensiva) será uno de los aspectos fundamentales a tener en cuenta en los objetivos de esta etapa.

ASPECTOS BÁSICOS DE LA TÁCTICA EN LA ETAPA DE INICIACIÓN

Expondremos las causas que nos llevan a proponer diferentes acciones tácticas como objetivos fundamentales en la iniciación. Para ello, analizaremos las distintas situaciones que provocan la necesidad de desarrollar estas acciones.

Aspectos defensivos

Si establecemos una situación de 1:1, todas las acciones realizadas por el poseedor del balón serán técnicas. En esta situación este jugador no manifiesta ninguna acción táctica propiamente dicha.

Las acciones del defensa serán exclusivamente tácticas, y tendrán como primer objetivo *recuperar el balón* para poder hacer gol, convirtiéndose este aspecto en uno de los elementos básicos de la etapa de iniciación.

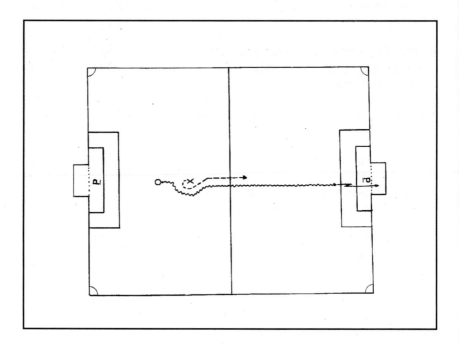

Aspectos ofensivos

– Si planteamos en el terreno de juego una situación de 11:0 (siendo el objetivo de ésta lograr el mayor número de goles en el menor tiempo posible), los jugadores deberán colocarse en tres líneas de forma que se manifieste la *profundidad,* con los componentes de cada una de ellas muy próximos entre sí.

De esta forma se consigue:

• Mínimo desgaste físico de los jugadores para colocar el balón en zona de remate.

• Reducir la pérdida de tiempo en colocar el balón en zona de remate, motivada por la ejecución de acciones técnicas defectuosas (pases, controles, etc.).

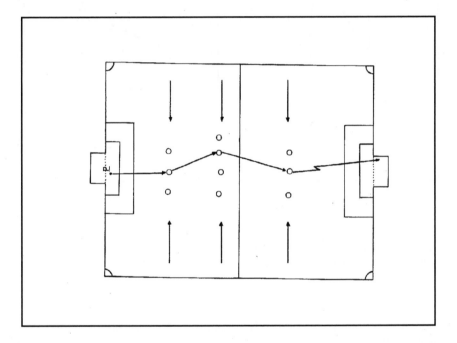

– Colocamos, en esta misma situación, un defensor en cada una de las tres líneas de juego (11:3). Si mantenemos la colocación de los atacantes, la tarea del defensa resultará relativamente sencilla, por lo que deberemos modificarla.

• Aparición de la *amplitud:* el defensor sólo incidirá en un atacante, quedando los otros 2 completamente desmarcados.

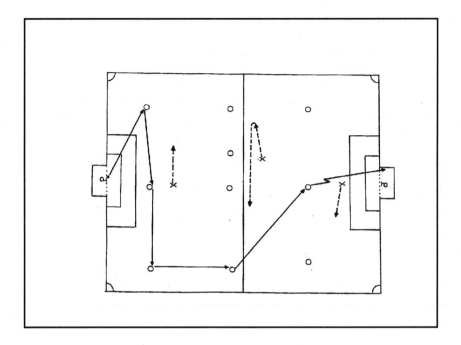

– Planteamos ahora la estructura completa del 11:11, manteniendo los aspectos de profundidad y amplitud.

En esta situación todos los jugadores están marcados (1:1). Gracias a la amplitud y profundidad podemos superar al adversario de dos formas:

• Mediante una acción técnica (*Regate*).
Produce inmediatamente la creación de superioridad numérica y de espacios libres.

• Mediante acciones tácticas:
a) *Creación y aprovechamiento de espacios libres.*
b) *Superioridad numérica* 2:1 (apoyos y desmarques).

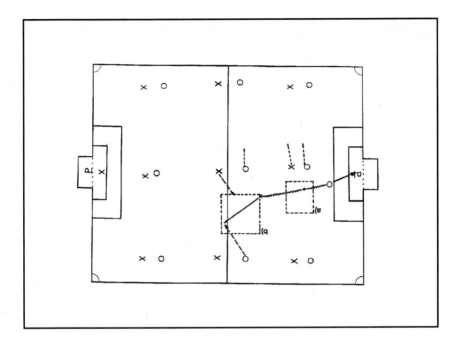

CONCEPTOS Y ACCIONES DE LA TÁCTICA

Consideramos la táctica como:
– El conjunto de desplazamientos, movimientos y posiciones estáticas realizadas por los jugadores que no poseen el balón, para superar o contrarrestar las acciones del adversario.

Distinguimos dos tipos de táctica:
• *Táctica defensiva:* conjunto de acciones tácticas realizadas cuando el balón está en posesión de un contrario.
• *Táctica ofensiva:* conjunto de acciones tácticas realizadas cuando el balón está en posesión de un compañero.

Expondremos a continuación la táctica defensiva y la ofensiva, detallando los conceptos y acciones que las componen, definiendo estas últimas en las fichas de trabajo.

TÁCTICA DEFENSIVA DEL JUGADOR

CONCEPTOS DE LA TÁCTICA DEFENSIVA	ACCIONES DE CADA CONCEPTO
– Táctica individual Conjunto de acciones tácticas que se realizan exclusivamente sobre el contrario que posee o recibe el balón.	**– Acciones de la táctica individual** • Marcaje individual • Entrada • Carga • Anticipación • Temporización individual
– Táctica colectiva Conjunto de acciones tácticas que se ejecutan relacionando contrario/s, compañero/s, balón y portería. Existen dos tipos de acciones de la táctica colectiva:	
• *Acciones individuales* Conjunto de acciones de la táctica colectiva que son realizadas por un solo jugador.	**– *Acciones individuales de la táctica colectiva*** • Marcaje al hombre • Marcaje por zonas • Marcaje mixto • Cobertura defensiva • Permuta • Temporización colectiva • Vigilancia defensiva • Presión individual • Trabajo en las diferentes zonas
• *Acciones colectivas* Conjunto de acciones de la táctica colectiva que tiene que ser realizadas por más de un jugador.	**– *Acciones colectivas de la táctica colectiva*** • Estas acciones forman parte de los objetivos de la etapa de tecnificación (AT-2)
– Principios tácticos defensivos Son consideraciones genéricas que han de tenerse en cuenta durante el desarrollo del juego.	**– Principios** • Superioridad numérica • Ayudas constantes • Anulación-reducción de espacios • Presencia constante de defensas entre el balón y la portería propia • Recuperación del balón con control para iniciar el ataque • Transición ataque-defensa

MARCAJE INDIVIDUAL

– Es la acción de neutralizar las acciones del contrario que posee el balón para evitar que lo juegue con ventaja.

CONSIDERACIONES

– Debemos mantener una *distancia* adecuada en relación al poseedor de forma que estemos suficientemente:
  • cerca, para evitar la correcta ejecución técnica del contrario.
  • lejos, para no ser desbordados.
– Debemos mantener una *orientación* adecuada, relacionando:
  • poseedor
  • nuestra portería
– Debemos mantener una *disposición* adecuada para realizar la entrada en el momento preciso.
– Mantener una posición corporal (tronco, apoyo de pies, piernas, etc.) adecuada.

JUEGO DE FÚTBOL

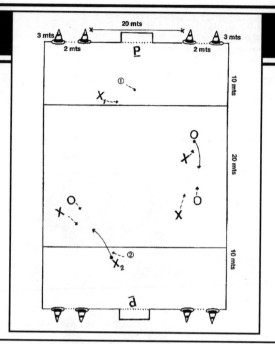

Reglamento: P.5:P.5

– Cada equipo puede hacer gol golpeando desde cualquier posición a la portería central, ocupada por el portero (2 puntos), o conduciendo el balón a través de las porterías laterales (1 punto).
– Los jugadores –1– y –2– de cada equipo sólo podrán jugar (defendiendo y atacando) dentro de su zona de portería. El resto de jugadores podrán hacerlo por todo el campo.
– El juego se realiza con 2 balones simultáneamente.

Aspectos a observar y corregir:

– Incidir en el marcaje al hombre.
– Si un defensor es desbordado debe permutar con el compañero que le haga el relevo.
– La atención del portero sobre los 2 balones.
– La atención de cada jugador sin balón para:
  • en ataque apoyar al compañero
  • en defensa determinar su posición según la posesión de los 2 balones.

Manifestación del objetivo:

– La utilización de 2 balones provocará la constante aparición del marcaje individual.
– La dificultad en la colocación y orientación en el marcaje vendrá provocada por las 3 posibles porterías donde se puede marcar gol.

JUEGO CORRECTIVO

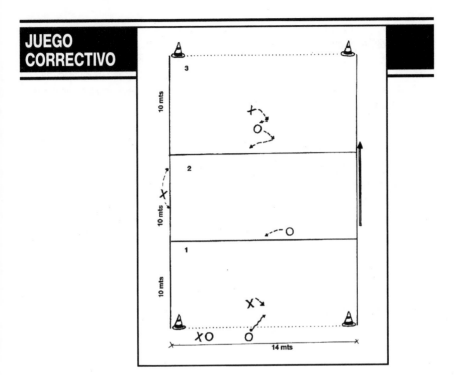

Reglamento: 1:1 – 1:1 – 1:1

– Un jugador de cada equipo jugará en una zona determinada.
– Ambos equipos deben marcar gol en la portería contraria entrando con balón controlado.
– El juego es iniciado por el jugador de la zona 1, que está fuera de la misma con balón controlado. No podrá pasar al compañero de la zona 2 hasta que el balón no haya entrado en la zona 1.
– El defensor no podrá salir del campo (zona 1).
– El atacante de la zona 2 deberá apoyar para recibir el balón, mientras que el defensor de dicha zona no podrá entrar en ella hasta que el balón haya penetrado.
– El atacante de la zona 3 apoyará desde dentro de la misma, siendo marcado el hombre por su contrario.
– Si los defensas recuperan el balón, podrán marcar gol en la portería contraria entrando con balón controlado. En este caso los jugadores –O– pasarán a ser defensores.
– Durante el ataque del equipo –O– ninguna pareja podrá salir de su zona.

⇨

– La jugada termina:
  • Cuando –O– hacen gol o pierden el balón fuera de los límites del terreno.
  • Cuando –X–, tras recuperar el balón marcan gol o lo pierden de igual forma.
– Finalizada la jugada se inicia de nuevo cambiando las parejas de zona y los papeles de atacante y defensa.

Aspectos a observar y corregir:

– Mantener la atención sobre el balón y los pies del contrario.
– No dejarse engañar por las fintas. (Movimiento del cuerpo.)
– Realización de una anticipación si es segura, o el marcaje individual si tiene ventaja el contrario.
– Incidir en distintas situaciones del marcaje individual.

Manifestación del objetivo:

– La necesidad de evitar la progresión del poseedor en cada una de las zonas provocará la aparición del marcaje individual.

EJERCICIO CORRECTIVO

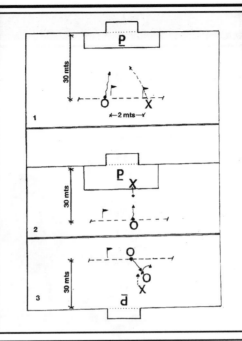

En las cualidades tácticas no se exponen ejercicios correctivos, por ser necesaria la oposición. (En el AT-2 analizaremos más profundamente cada acción con el trabajo analítico.)

En este caso exponemos ejercicios simples para la mejora del marcaje individual.

Reglamento:

– Los jugadores –O– deben intentar marcar gol.
– Los jugadores –X– deberán evitarlo.
– Acciones de un máximo de 30 segundos.

ENTRADA

– Es la acción controlada y definitiva de intentar arrebatar el balón al contrario que lo posee.

CONSIDERACIONES

– Distinguimos 3 orientaciones en la entrada:
  • frontal
  • lateral
  • por detrás
– Cada una de estas orientaciones deben ser mejoradas con acciones:
  • de parado
  • en movimiento
– Incidir en los aspectos que determinan el momento adecuado para realizar la entrada.

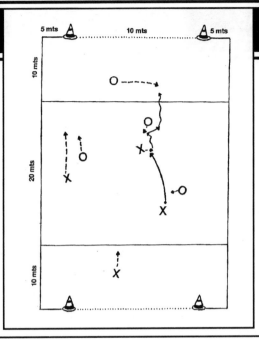

Reglamento: 4:4

– Cada equipo tendrá siempre a uno de sus jugadores en su zona defensiva (libre). El resto de los jugadores podrá jugar por todo el campo.
– Para marcar el gol se puede:
  • golpear a portería (una vez el balón esté dentro de la zona de portería).
  • rematar de cabeza desde cualquier lugar del campo.

Aspectos a observar y corregir:

– Evitar la precipitación en la entrada, esperando el momento adecuado (pérdida del control por parte del poseedor del balón, en el instante de tocar el balón).
– Incidir en realizar la recuperación del balón mediante un control de oposición para poder iniciar el ataque.

Manifestación del objetivo:

– La posibilidad de que el atacante pueda tirar a una portería grande (en la que resulta fácil marcar gol) a partir de su entrada en la zona de portería, provocará la necesidad de realizar una entrada antes de que efectúe el golpeo.

JUEGO CORRECTIVO

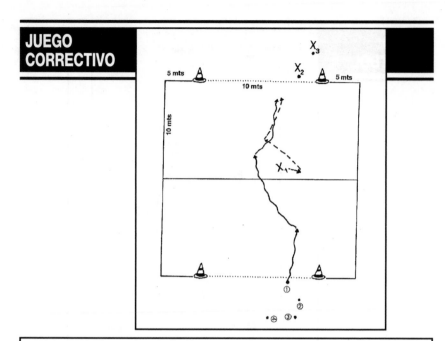

Reglamento: 1:1

– El jugador n°1 del equipo –O– iniciará el juego con una conducción para intentar hacer gol entrando en la portería contraria con balón controlado.

– El defensor X_1 lo esperará en su medio campo, para recuperar el balón. En caso de lograrlo podrá marcar gol en la portería contraria.

– La jugada finaliza cuando X_1 o O_1 marquen gol, el balón salga fuera de los límites del terreno, o transcurra un máximo de 30 segundos.

– Finalizada la jugada O_1 pasará a defender en su medio campo, X_2 saldrá con balón controlado para intentar marcar gol, y X_1 descansará a la espera de su próximo turno.

– Se puede variar el juego situando al defensor en distintas posiciones:
  • saliendo de la misma línea de meta que el atacante
  • saliendo desde una línea lateral

– El reglamento puede modificarse de forma que el atacante pueda tirar a partir de cruzar la línea de medio campo.

Aspectos a observar y corregir:

– Incidir en distintas formas de realizar la entrada. Rápido cambio de actitud (defensa-ataque).

Manifestación del objetivo:

– La situación del 1:1 en la que el defensor debe recuperar el balón para evitar el gol del atacante provocará la utilización de la entrada por parte del defensor.

CARGA

– Es la acción legal de desplazar con el hombro al contrario que posee o intenta apoderarse del balón, para arrebatárselo.

CONSIDERACIONES

– El objetivo es conseguir "ganar la posición" al contrario.
– Para mejorar esta acción resulta conveniente desarrollarla previamente mediante el gesto-tipo.
– Debemos finalizar la acción, a ser posible, con un control de oposición.
– Trabajaremos esta cualidad específicamente con gestos-tipo.
– Posteriormente incidiremos en la práctica de esta acción en los trabajos de mejora de otras acciones tácticas (entrada, anticipación, marcaje individual,...).

ANTICIPACIÓN

– Es la acción de adelantarse al movimiento del contrario para interceptar el balón que pretende recibir.

CONSIDERACIONES

– En esta acción tienen gran incidencia determinados aspectos:
  • Psicológicos
    – Concentración
    – Agresividad
  • Tácticos
    – Prever la acción del contrario
    – Colocación en el marcaje
– Incidir en la realización de una acción técnica posterior que permita recuperar el balón (anticipación con pase, control,...).

JUEGO DE FÚTBOL

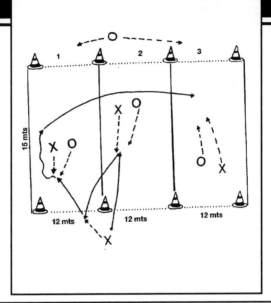

Reglamento: 4:4

– Cada equipo tiene un jugador (libre) situado detrás de las líneas de meta propias, que jugará únicamente en ataque, apoyando y pasando el balón.
– El resto de jugadores debe jugar cada uno en su zona (pasillo), sin salir de ella.
– Para marcar gol deben entrar en la portería de su zona con el balón controlado. El balón puede pasar de una zona a otra.

Aspectos a observar y corregir:

– Jugar con el hombre libre antes de perder el balón.
– Recuperar el balón mediante controles de oposición para poder iniciar el ataque.
– "Coger la posición" al contrario.
– Evitar la precipitación para no quedar desbordados.
– Fijar la atención en el jugador al que se marca y a la salida y orientaciones del balón.

Manifestación del objetivo:

– La situación de 1:1 establecida en un espacio estrecho (poca movilidad en amplitud del atacante) favorecerá la utilización de la anticipación.

JUEGO CORRECTIVO

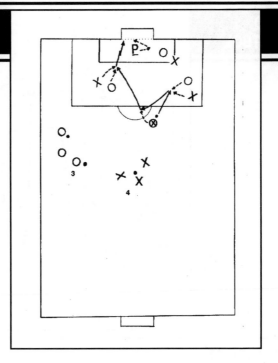

Reglamento: P.3:3 + 1Ca

– Dentro del área de penalty el equipo que controle el balón, deberá tirar desde cualquier posición con el objetivo de marcar gol.

– El equipo que esté atacando contará con la colaboración, fuera del área, del comodín, quien no podrá marcar gol.

– Si el balón sale del área se iniciará de nuevo el juego con un pase del comodín al equipo que no perdió el balón.

– Si sale por la línea de meta, tocado por un defensor, el comodín efectuará un saque de esquina.

– No se puede tirar desde el interior del área de meta, excepto de cabeza.

– El juego termina cuando:
   • uno de los dos equipos marca gol
   • ha transcurrido 1 minuto de tiempo

– En ese momento sale del campo el equipo que no ha marcado gol, o el que pasado el minuto llevaba más tiempo en el campo.

– Entra el equipo que descansaba.

– El jugador que durante el juego recupere el balón, no podrá tirar a portería hasta que no haya sido jugado por otro compañero.

Aspectos a observar y corregir:

– Correcta colocación para anticiparse y evitar ser desbordados.

– Realizar controles de oposición al anticiparse.

Manifestación del objetivo:

– Las reducidas dimensiones y la velocidad del juego propiciarán la aparición de la anticipación.

TEMPORIZACIÓN INDIVIDUAL

– Es la acción de mantenerse a una distancia determinada del contrario que posee el balón, de forma que no pueda desbordarnos, posibilitando la llegada de compañeros.

CONSIDERACIONES

– Consideramos como Temporización individual la acción del defensor sobre el poseedor del balón cuando no exista ningún otro compañero ni contrario que puedan intervenir en la jugada.
– Tendremos en cuenta:
  • La orientación del defensa (relacionando contrario y portería propia).
  • El desplazamiento del defensa (según la dirección y velocidad del contrario).
  • La distancia a mantener del contrario (en relación a la proximidad sobre nuestra portería).

JUEGO DE FÚTBOL

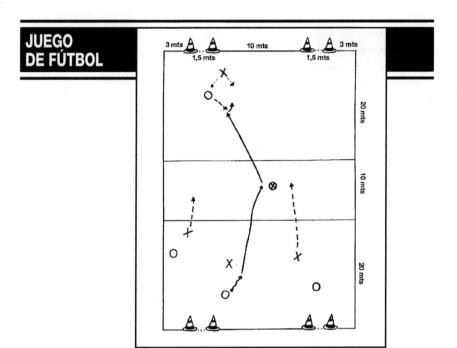

Reglamento: 4:4 + 1Ca

– Cada equipo tendrá un jugador fijo en cada zona (defendiendo y atacando sin poder salir de ella).
– El comodín jugará siempre con el equipo que controle el balón, sin salir de la zona de medios (como enlace para que el punta reciba el balón).
– El resto de jugadores sólo podrá estar en la zona de ataque donde se encuentre el balón.
– Para hacer gol se puede tirar desde cualquier lugar de la zona de ataque, en cualquiera de las 2 porterías.

Aspectos a observar y corregir:

– Evitar dejar demasiado espacio al poseedor del balón para que no pueda tirar a portería fácilmente.
– Evitar el riesgo de la anticipación si no es una acción segura.

Manifestación del objetivo:

– La reglamentación provocará la aparición de situaciones 1:1 en las zonas de ataque, lo que unido al poder tirar a gol directamente, creará la necesidad de realizar una temporización individual.

JUEGO CORRECTIVO

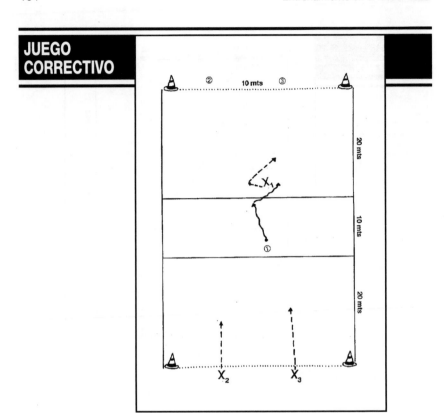

Reglamento: 1:3

– A la señal el jugador O_1 intentará hacer gol conduciendo el balón a través de la portería defendida por X_1, quien no puede entrar en la zona de medios (10 m).

– A esa misma señal los jugadores X_2 y X_3 podrán entrar en el campo para ayudar a defender a X_1.

– Si recuperan el balón podrán marcar gol en la portería contraria. O_1 podrá temporizar hasta recibir la ayuda de sus compañeros O_2 y O_3, que entrarán en el campo a partir de la entrada del balón en su zona defensiva.

– La jugada termina cuando uno de los 2 equipos marca gol, el balón sale del campo, se produce fuera de juego de algún jugador, o se supera el minuto de juego.

– Intercambiar la posición de los jugadores en cada jugada, así como los papeles de equipo atancante y defensor.

– Al finalizar resultará vencedor el equipo que más goles haya logrado.

Aspectos a observar y corregir:

– Realización de una temporización por parte del jugador atacante tras perder el balón, en espera de la llegada de sus compañeros.

– Realización de la acción ofensiva del defensor al recuperar el balón.

Manifestación del objetivo:

– La utilización de la temporización viene provocada por la necesidad que tiene el primer defensor de esperar la llegada de la ayuda de sus compañeros.

MARCAJE AL HOMBRE

– Es la acción de seguir a un contrario determinado, con la finalidad de evitar que le pasen el balón, o de que lo reciba.

CONSIDERACIONES

– Deberemos tener en cuenta:
  • La orientación del marcaje:
    Relacionar la situación del balón, la posición de nuestro contrario, la portería y la posición de compañeros y adversarios.
  • La distancia a la que marcamos:
    Según la zona del campo donde se realiza el marcaje.
    Según la velocidad que posea el contrario.
    Según a la distancia que se encuentra el balón.
    Según posición y orientación del contrario.
    Según situaciones y acciones del contrario.
    – parado
    – en carrera: en apoyo, en profundidad
  • El tipo de marcaje que realiza el equipo.

JUEGO DE FÚTBOL

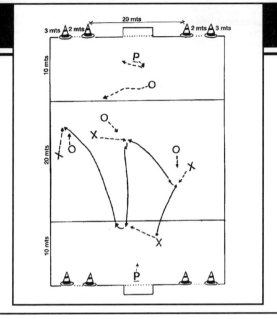

Reglamento: P.4:P.4

– Cada equipo mantendrá un jugador en su zona defensiva, no pudiendo salir de ella ni tirar a gol.
– El resto de jugadores podrá jugar por todo el campo.
– Para marcar el gol se puede:
  • Tirar sobre la portería central (defendida por el portero) desde cualquier posición.
  • Entrar en las porterías laterales con balón controlado.
– Antes de marcar gol los 4 jugadores atacantes deben haber tocado el balón.

Aspectos a observar y corregir:

– Definir claramente el marcaje sobre nuestro jugador.
– Apoyarse en ataque con el hombre libre para mantener la posesión del balón.
– Mantener una correcta colocación en el marcaje según la posición del balón y el contrario en relación a nuestra portería.

Manifestación del objetivo:

– La posibilidad de marcar gol tomando 3 orientaciones diferentes (porterías) provocará la necesidad de realizar un marcaje más rígido.
– La reglamentación que obliga a tocar el balón a los 4 atacantes antes de marcar gol, propiciará un marcaje al hombre intenso para recuperar el balón.

JUEGO CORRECTIVO

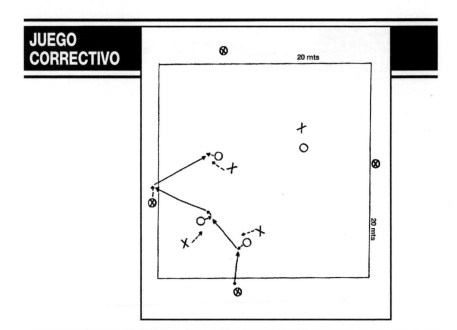

Reglamento: 4:4 + 4Ca

– Durante un tiempo determinado el equipo que ataca debe jugar dentro del campo, apoyándose en los 4 comodines (fuera del terreno siempre) para mantener la posesión del balón.
– El equipo defensor debe evitar que el contrario reciba el balón, controlándolo o despejándolo. En este caso se detendrá el tiempo hasta que un comodín vuelva a controlar el balón.
– Cada vez que un jugador atacante reciba el balón obtendrá un punto para su equipo (punto negativo para los defensas).
– Una vez los 3 equipos hayan defendido resultará vencedor aquel que haya "encajado" menos puntos.
– Podemos condicionar el juego de los comodines, a 1 toque (paredes).

Aspectos a observar y corregir:

– Posición adecuada a cada situación, según la posición del balón y nuestro contrario.
– Presionar a la distancia precisa, de forma que el contrario no pueda recibir el balón en corto ni desbordarnos con un cambio de ritmo o dirección.

Manifestación del objetivo:

– Las distintas situaciones provocadas por las diversas procedencias del balón, implicarán una constante variación de los aspectos de orientación, distancia y colocación en el marcaje al hombre.

MARCAJE POR ZONAS

– Es la acción de evitar el juego con balón del adversario en un espacio previsto y determinado del terreno de juego.

CONSIDERACIONES

– Deben existir grandes coberturas en relación al balón.
– El jugador debe procurar jugar siempre dentro de su zona.
– Evitaremos realizar un marcaje por zonas en una línea de sólo 3 jugadores.
– Los aspectos a tener en cuenta son:
  • Realizar cobertura al compañero en relación al balón.
  • Vigilar al contrario que está en nuestra zona.
  • La situación del contrario en relación a la zona de tiro.

JUEGO DE FÚTBOL

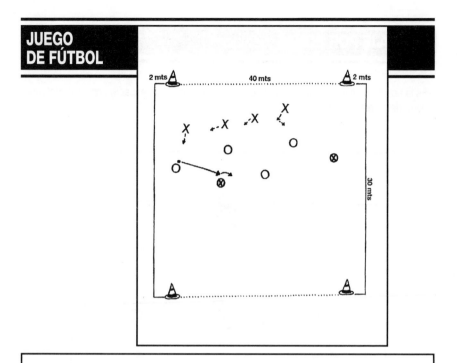

Reglamento: 4:4 + 2Ca

– El equipo de 4 jugadores que controla el balón intentará marcar gol en la portería contraria con balón controlado. Para ello contarán con la colaboración de los 2 comodines.
– En jugadores de edades avanzadas se puede sancionar el fuera de juego.

Aspectos a observar y corregir:

– Incidir en la distancia que dejamos en relación a nuestro compañero que marca al poseedor del balón.
– Incidir en la realización de cobertura (diagonal) en relación al compañero y nuestra portería.
– Contrarrestar la superioridad numérica del contrario en una zona y los cambios de orientación del juego que se realicen.
– Vigilancia y marcaje correcto al contrario que esté en nuestra zona.

Manifestación del objetivo:

– La superioridad numérica del atacante, así como las dimensiones de la portería obligan a realizar una defensa zonal para evitar el gol de los atacantes.

JUEGO CORRECTIVO

Reglamento: 3:P.2.1

– Los jugadores –O– inician un ataque para hacer gol en la portería defendida por el portero, pudiendo tirar sólo desde el interior del área de penalty.

– Los defensas X_1 y X_2 defenderán el ataque de –O–, de forma que si recuperan el balón podrán jugar con su compañero X_3 que estará sobre la línea de meta contraria. X_3 podrá marcar gol cruzando dicha línea con una conducción de balón.

– El ataque finaliza cuando un equipo marca gol, el balón sale fuera del terreno o cuando se supera el minuto de juego.

– Finalizada la acción el equipo atacante pasará a defender, y el defensor descansará. El próximo ataque será iniciado rápidamente por el equipo C, que ha estado recuperando.

– Penalizar o no el fuera de juego.

⇨

Aspectos a observar y corregir:

– Realización de cobertura (diagonal) para evitar ser desbordados.
– Distancia del marcaje sobre el poseedor para que no pueda tirar a portería.
– Acción rápida de profundidad cuando recuperen el balón.
– Correcta temporización y gran cobertura al balón.

Manifestación del objetivo:

– A pesar de la superioridad numérica del atacante (sólo 1 jugador) más la reducida zona
  que los defensas deben proteger facilita el aprendizaje y manifestación correcta del objetivo.

MARCAJE MIXTO

- Es la realización de un marcaje que se inicia por zonas, y continúa al hombre sobre el primer adversario que invada nuestra zona.

CONSIDERACIONES

- Si el jugador que ha invadido nuestra zona retrocede a su campo, mantendremos nuestra posición hasta que otro jugador penetre en dicha zona.
- Una vez definido el contrario, el resto del marcaje se realizará al hombre durante el tiempo que dure este ataque.

JUEGO DE FÚTBOL

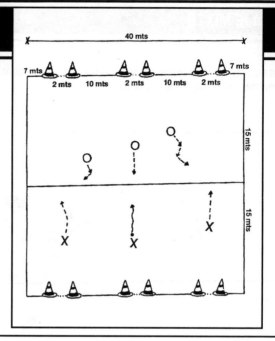

Reglamento: 3:3

– Cada equipo intentará marcar gol en cualquiera de las 3 porterías contrarias, entrando con balón controlado.
– El equipo defensor sólo puede recuperar el balón en el interior de su medio campo.

Aspectos a observar y corregir:

– Realización de un repliegue intensivo cuando el equipo atacante pierde el balón, para iniciar el marcaje en su campo.
– Correcta orientación de cada jugador defensor en relación al contrario que debe marcar.

Manifestación del objetivo:

– La reglamentación, que impide recuperar el balón fuera de la propia zona defensiva, y la existencia de una portería por defensa, provocarán la necesidad de iniciar el marcaje en zona y continuarlo al hombre.

JUEGO CORRECTIVO

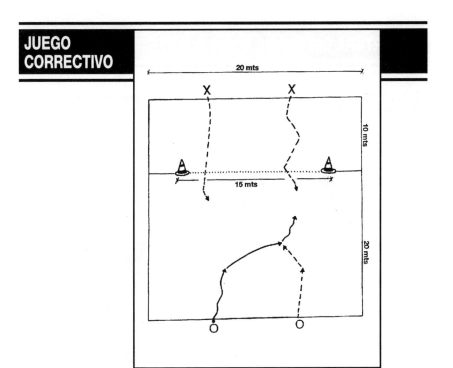

Reglamento: 2:2

– A una señal los 2 jugadores atacantes saldrán con el balón controlado desde detrás de la línea de fondo del campo. En esta situación intentarán marcar gol entrando con el balón controlado en la portería situada en medio del campo.

– Cuando el balón entre en el terreno, los defensas –X– deben ir en busca de sus contrarios para evitar que marquen gol.

Aspectos a observar y corregir:

– Que los 2 defensas no corran hacia el poseedor del balón dejando al otro atacante completamente solo.

– Durante la carrera los defensas decidirán según su orientación, el contrario al que marcarán.

COBERTURA DEFENSIVA

– Es la acción de situarse entre la propia portería y el compañero que marca o entra al poseedor del balón, de forma que se pueda intervenir si aquel es desbordado.

CONSIDERACIONES

– Deberemos tener en cuenta:
  • Distancia: Suficientemente cerca para hacerse con el balón antes de que el poseedor lo vuelva a tocar tras haber superado a nuestro compañero.
                Suficientemente lejos para evitar ser desbordado junto con el compañero que lo marcaba.
  • Orientación: Según la orientación que el poseedor le dé al balón.
                Según la colocación de nuestro compañero en relación a nuestra portería y el balón.

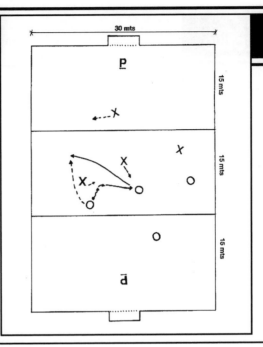

Reglamento: P.4:P.4

– Cada equipo mantendrá un jugador dentro de su zona de portería.
– Ningún otro jugador podrá penetrar en dichas zonas excepto cuando el balón se encuentre en el interior de las mismas.

Aspectos a observar y corregir:

– Posición del jugador libre en relación al balón, tanto en defensa como en ataque.

Manifestación del objetivo:

– Dado que cuando un compañero sea desbordado el libre deberá intervenir para evitar el gol, resultará necesaria la realización de coberturas defensivas por parte de este jugador.

JUEGO CORRECTIVO

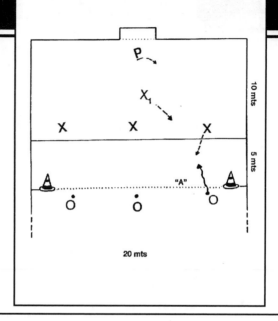

Reglamento: P.2:1

– A una señal uno de los jugadores atacantes (ellos determinarán el orden) saldrá con balón controlado para intentar marcar gol.

– Cuando el balón entre en la zona de medios uno de los defensas (al que le corresponda por zona) y el hombre libre X_1 saldrán a su encuentro. Si recuperan el balón podrán marcar gol (situación 2:1) traspasando la línea A con balón controlado.

– Una vez finalizada la jugada (gol o balón fuera del terreno) se iniciará una nueva acción con la entrada de otro atacante.

– Todos los jugadores deberán pasar por las distintas posiciones.

– Opción a señalar el fuera de juego en el contraataque.

Aspectos a observar y corregir:

– Rápida orientación del hombre libre en relación al balón.

– Presión del defensor –X– al poseedor del balón.

– Ejecución rápida de la acción de contraataque.

PERMUTA

– Es la acción de ocupar la zona o realizar el marcaje del compañero que nos ayudó al ser desbordados por nuestro contrario.

CONSIDERACIONES

– El jugador desbordado debe rectificar su posición según si:
  • El poseedor progresa sin ninguna oposición (deberá superarlo, evitando correr tras él, dirigiéndose hacia la portería).
  • El poseedor recibe el marcaje de un compañero (deberá realizar una permuta dirigiéndose al contrario que ha quedado desmarcado, o realizar una cobertura al compañero que lo ayudó).

JUEGO DE FÚTBOL

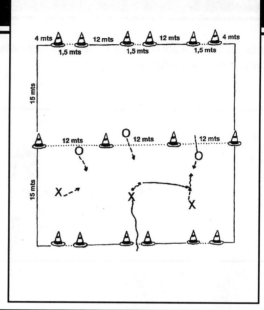

Reglamento: 3:3

– Cada equipo podrá marcar 2 goles en un ataque:

  • cruzando la línea de medio campo (3 porterías grandes) en dirección a campo contrario, con balón controlado.

  • conduciendo el balón por una de las 3 porterías pequeñas de la línea de fondo contraria.

– En el inicio de juego el poseedor del balón saldrá desde detrás de su línea de meta, y los defensas desde su propio campo.

Aspectos a observar y corregir:

– Cuando un defensa es desbordado, un compañero marcará al poseedor del balón. El defensa desbordado pasará a defender la portería que quedó libre.

Manifestación del objetivo:

– Para evitar el primer gol los defensas habrán superado la línea de medio campo dejando espacios a sus espaldas. Si un defensor es desbordado (1er gol), un compañero tendrá tiempo de rectificar su posición para evitar que este mismo atacante marque el segundo gol en la portería pequeña.

JUEGO CORRECTIVO

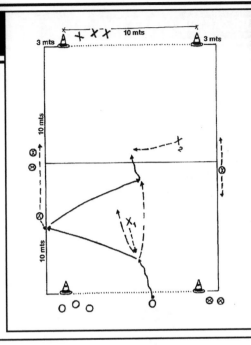

Reglamento:

- El poseedor del balón podrá marcar gol tirando desde cualquier punto del medio campo contrario.
- Para ello podrá apoyarse con los extremos (comodines) que juegan por las bandas a un solo toque (pared).
- El defensa X_1 marcará dentro del medio campo contrario, y sólo podrá entrar en el otro cuando esté en él el balón.
- El defensa X_2 defenderá en su mitad de campo.
- Si los defensas recuperan el balón podrán marcar gol, entrando con balón controlando en la portería contraria (se penalizará el fuera de juego).
- Cada ataque tendrá una duración de 30 segundos, cambiándose las posiciones de los jugadores.

Aspectos a observar y corregir:

- La rápida rectificación en la orientación del defensor desbordado para ocupar la zona abandonada por su compañero.

Manifestación del objetivo:

- La reglamentación provoca la necesidad de realizar permuta por parte del defensor X_1, al ser desbordado, para realizar cobertura a su compañero X_2.

TEMPORIZACIÓN COLECTIVA

– Es la acción de situarse a una distancia y con una orientación determinadas en relación al poseedor del balón y otros adversarios, con la intención de evitar la progresión del balón, posibilitando la llegada de más compañeros.

CONSIDERACIONES

– Si el defensor es el último hombre de la defensa, debe aprovecharse de la regla del fuera de juego.
– El defensor que temporiza, en el seguimiento del balón, no saldrá nunca de la zona de tiro cuando la acción se desarrolle en la zona de definición.

JUEGO DE FÚTBOL

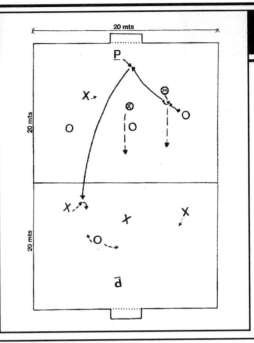

Reglamento: P.4:P.4 + 2Cd

– Cada equipo mantendrá a un jugador en su zona de medio campo, y a tres en la zona contraria.
– Los comodines defensores jugarán por todo el campo. Si uno de ellos recupera el balón lo deberá pasar inmediatamente al jugador más cercano del equipo que ha recuperado. A partir de ese momento pasará a defender en el campo contrario.
– Podemos penalizar o no el fuera de juego.

Aspectos a observar y corregir:

– Acción de juego rápida sobre los 3 puntas para aprovechar la superioridad numérica (3:1) si se recupera el balón.
– Correcta colocación del defensa para evitar el tiro a puerta y dar tiempo a la llegada de los comodines.

Manifestación del objetivo:

– La superioridad numérica, manifestada durante un corto espacio de tiempo, de los atacantes, provocará la necesidad de realizar una temporización colectiva.
– Debemos realizar frecuentes cambios de los comodines, ya que resulta un trabajo de altísima intensidad y prácticamente continuo.

JUEGO CORRECTIVO

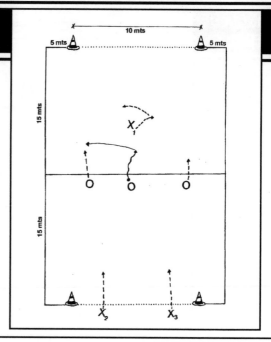

Reglamento: 3:3

– Los 3 jugadores atacantes saldrán de la línea de medio campo para marcar gol en la portería de 10 m con balón controlado.
– El defensa X_1 tratará de evitarlo.
– Los defensas X_2 y X_3, cuando el balón entre en el medio campo de su equipo, entrarán en juego (desde detrás de la línea de meta contraria) para ayudar a X_1.
– Si el equipo defensor recupera el balón, podrá marcar gol.
– El juego finaliza si: • se marca gol   • el balón sale fuera del terreno
                         • transcurren 30 segundos desde el inicio de la jugada

Aspectos a observar y corregir:

– La rápida y correcta orientación y colocación de los defensas que corren en ayuda de X_1.
– Diferentes disposiciones del defensor que temporiza, según la reglamentación (penalización o no del fuera de juego).

Manifestación del objetivo:

– La situación de inferioridad numérica de X_1 le obligará a realizar una temporización colectiva que le permita recibir la ayuda de sus compañeros.

VIGILANCIA DEFENSIVA

– Es la acción de tener controlados a uno o más adversarios cuando el balón se juegue fuera de sus posibilidades.

CONSIDERACIONES

– Esta acción se realiza con el objetivo de poderse anticipar al contrario en el control del balón, y ayudar a los compañeros en tareas defensivas. Para ello, deberemos mantener una orientación y una distancia adecuadas en relación a nuestro marcaje, que debemos tener constantemente localizado.

JUEGO DE FÚTBOL

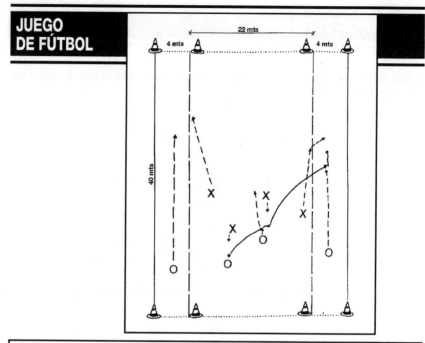

Reglamento: 4:4

– El equipo poseedor del balón desplazará y mantendrá a 2 jugadores jugando por los laterales.
– Estos jugadores sólo podrán marcar gol en las porterías laterales.
– El resto de jugadores podrán jugar por todo el campo, marcando gol en la portería de 22 metros, mediante una conducción de balón.
– Los defensas jugarán por todo el campo.

Aspectos a observar y corregir:

– La gran cobertura que los defensas laterales deben realizar a los centrales por si son desbordados.
– Vigilancia constante de los defensas laterales a sus extremos para no ser desbordados cuando reciban el balón.
– Los cambios de orientación de extremo a extremo serán efectivos para superar a la defensa.

Manifestación del objetivo:

– Las grandes dimensiones de la portería central implican un elevado riesgo de que los defensas centrales sean desbordados. Por esta razón los defensas laterales verán dificultada su acción de vigilancia sobre su contrario, ya que simultáneamente deberán hacer coberturas a los centrales.

JUEGO CORRECTIVO

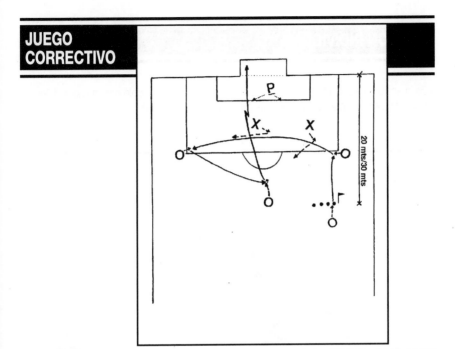

Reglamento: 4:P.2

– Se colocará un atacante en cada vértice del área de penalty.
– Un tercer delantero se situará frente a la mitad de la portería, a la altura de los balones (20-30 m).
– Un cuarto delantero pondrá en juego los balones con la intención de que sus compañeros puedan marcar gol.
– Dispondrán de 15 segundos para marcarlo.
– Los defensas deberán colocarse para evitar el gol e intentar recuperar el balón.

Aspectos a observar y corregir:

– Correcta colocación de los defensas desde el centro, y rápida rectificación en relación a los desplazamientos de balón.

Manifestación del objetivo:

– La superioridad numérica atacante obligará a ejercer vigilancia sobre cada uno de ellos, de forma que en el caso de que reciban el balón no lo hagan en condiciones de poder tirar a portería.

PRESIÓN INDIVIDUAL

– Es la acción realizada sobre el balón para interceptarlo, siguiéndolo por una zona determinada del campo, independientemente de quien sea el poseedor.

CONSIDERACIONES

– Realizaremos esta acción con la orientación y distancia adecuadas para no ser desbordados por el balón, conducido por un jugador de la línea sobre la que hacemos presión.

JUEGO DE FÚTBOL

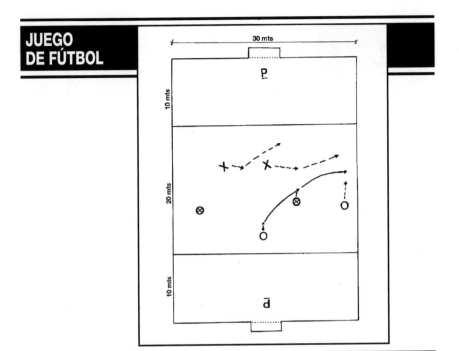

Reglamento: P.2:P.2 + 2 Ca

– El equipo poseedor del balón contará con la colaboración de 2 comodines.
– Para marcar gol tienen que tirar desde fuera de la zona de portería.
– Vencerá el equipo que marque más goles.

Aspectos a observar y corregir:

– Incidir en la colocación de cada defensa en una mitad de la zona a defender en amplitud, para realizar la presión.

Manifestación del objetivo:

– La inferioridad numérica de los defensas y la necesidad de tirar desde fuera de la zona de los atacantes, posibilitará a aquéllos evitar el tiro a gol mediante la realización de una correcta presión.

JUEGO CORRECTIVO

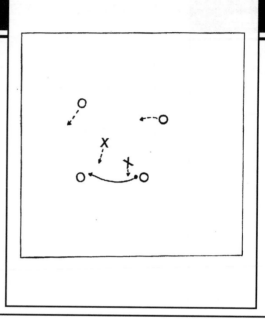

Reglamento: 4:2

– Realización de un "rondo" en el que los atacantes jugarán:
  • con toques libres   • a 2 toques   • a 1 toque
– Sólo se considerará balón recuperado por el defensa cuando lo controle o lo despeje.
– Al recuperar el balón saldrá el defensa que lleve más tiempo defendiendo.
– Podemos señalizar el cuadrado con conos o no. Si trabaja un portero deberá recuperar el balón con las manos.

Aspectos a observar y corregir:

– Coordinación entre los defensas. El más cercano al poseedor le presionará, mientras el otro cubrirá el espacio por donde puede salir el balón.

Manifestación del objetivo:

– La necesidad de seguir el movimiento del balón de forma intensa mejorará la atención y agresividad, que son aspectos importantes en la realización de la presión individual.

TRABAJO EN LAS DIFERENTES ZONAS

– Es la ejecución diferenciada de las distintas acciones tácticas según la zona de juego en que se realicen.

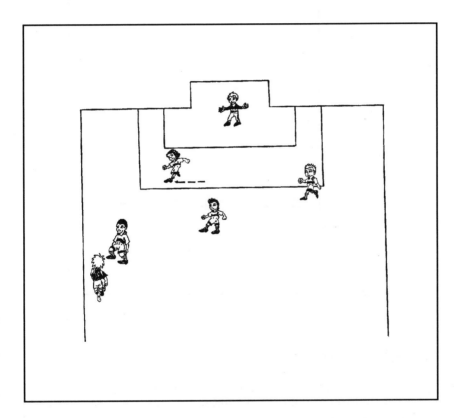

CONSIDERACIONES

– Se deben modificar las acciones a realizar según:
  • el lugar ocupado en una línea de juego (centro derecha o izquierda)
  • según la línea de juego donde se realice.

JUEGO DE FÚTBOL

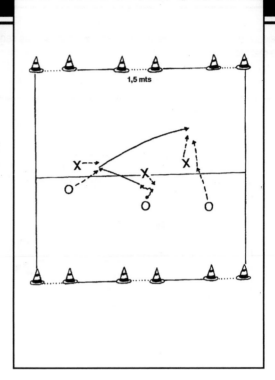

1,5 mts

Para medios y delanteros:

– Realizaremos diversos juegos en los que el equipo poseedor para hacer gol tenga que tirar sobre varias porterías pequeñas (1,5 m aprox.).

– El tiro sólo se debe poder realizar a partir de la entrada en la mitad de campo contraria.

– Los defensas deberán realizar un marcaje presionante para evitar el tiro a gol rápido del atacante.

– El golpeo sobre una portería pequeña viene a significar la realización de un pase sobre un supuesto compañero, por lo que el defensa no habría logrado su objetivo.

JUEGO DE FÚTBOL

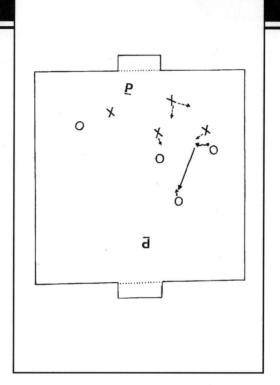

Para la línea defensiva

– Realizaremos juegos en los que exista portería y portero, y cuando sea oportuno, un defensa libre (superioridad numérica).

– Cada jugador trabajará en una posición concreta (derecha, izquierda, centro), analizando los aspectos característicos de su posición.

TRABAJO CORRECTIVO

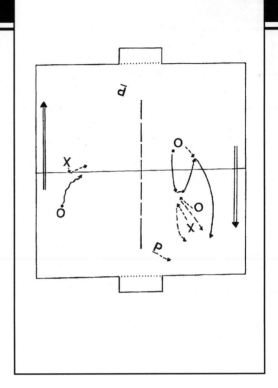

Acciones de 1:1 y 2:1

– Deben plantearse diversas situaciones (orientaciones, distancias, etc.) y objetivos relacionados con la zona que se desee trabajar, alternando el marcaje a contrarios con balón, sin balón, etc.

– Siempre que el defensor recupere el balón deberá intentar finalizar la jugada con una acción ofensiva.

PRINCIPIOS TÁCTICOS

No consideramos estos principios como acciones a mejorar de forma específica, sino que son aspectos que el entrenador debe procurar que se manifiesten en cualquier actividad del entrenamiento (Juegos de Fútbol) y en la competición.

Estas consideraciones son válidas para cualquier Principio Táctico, sea ofensivo, defensivo, del jugador o del portero.

Nos limitaremos, por tanto, a exponer estos principios:

Superioridad numérica

Hace referencia a la necesidad de que exista un mayor número de defensas que de atacantes, teniendo en cuenta la situación del balón.

Ayudas constantes

Hace referencia a la necesidad de estar en disposición de ayudar al compañero que ha sido desbordado.

Anulación-Reducción de espacios

Hace referencia a la necesidad de evitar la existencia de espacios libres en la zona donde se encuentre el balón, para que éste no pueda ser jugado con ventaja por el contrario.

Presencia constante de defensas entre el balón y la portería propia

Se trata de evitar la posibilidad de que el contrario poseedor del balón pueda, en situación reglamentaria, provocar el 1:1 con nuestro portero.

Recuperación del balón con control para iniciar el ataque

Hace referencia a la necesidad de realizar la acción de la entrada con el control de oposición adecuado para jugarlo con ventaja.

Transición Ataque-Defensa

Es el cambio rápido y adecuado de actitud de los jugadores en relación a la pérdida del balón por parte de su equipo.

TÁCTICA DEFENSIVA DEL PORTERO

CONCEPTOS DE LA TÁCTICA DEFENSIVA	ACCIONES DE CADA CONCEPTO
– Acciones defensivas Son las acciones tácticas realizadas cuando el balón está en posesión de un contrario.	**– Acciones** • Salidas • Colocación defensiva • Estrategias defensivas • Anticipación (ver ficha jugador) • Temporización (ver ficha jugador)
– Principios tácticos defensivos Son consideraciones genéricas que deben tenerse en cuenta durante el desarrollo del juego.	**– Principios** • Dirección y colocación de la defensa. • Diferentes zonas de juego y remate. • Ángulos de tiro. • Atención constante a las acciones y características de los contrarios y los compañeros.

SALIDAS

– Es la acción de alejarse de su zona de influencia para anticiparse al balón o evitar el tiro a gol del contrario que lo controla desmarcado.

CONSIDERACIONES

– Incidir en la necesidad de salir cuando:
  • Un contrario progresa desmarcado con el balón hacia nuestra portería.
  • Deba adelantarse a un balón en profundidad, anticipándose a la acción del contrario.

– Evitar la salida cuando:
  • Existe un defensor que dificulta la acción del atacante con balón.
  • El poseedor tenga el balón controlado o pueda volver a tocarlo antes de que el portero lo pueda interceptar en su salida.

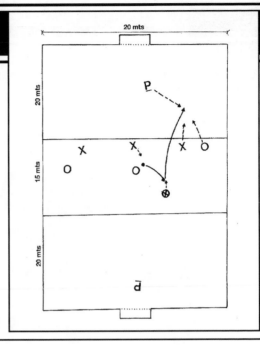

Reglamento: P.3 : P.3 + 1Ca

– El equipo poseedor del balón puede marcar gol tirando desde el interior de la zona de portería contraria.
– Ningún jugador de ambos equipos podrá penetrar en la zona de portería hasta que el balón no haya entrado en ella. (Cabe la posibilidad de permitir la entrada al comodín.)

Aspectos a observar y corregir:

– Correcta situación del portero que le permita anticiparse a la acción del contrario cuando el balón penetre en la zona de portería.
– Vigilancia del portero al comodín en el caso de que éste pueda entrar en la zona antes que el balón.

Manifestación del objetivo:

– La obligación de tirar desde el interior del área obligará al portero a salir para anticiparse a la acción de los atacantes o para reducir ángulos de tiro.

JUEGO CORRECTIVO

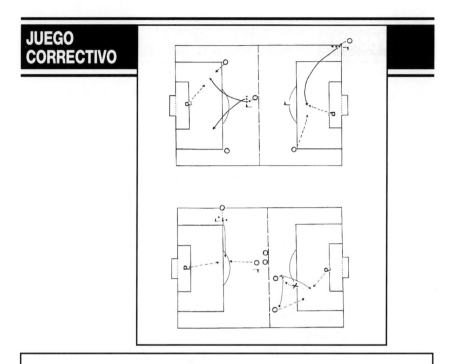

Acciones de P:1, P:2 y P.1:2

– Plantear diversos juegos en los que se provoque la mejora específica de la salida.

COLOCACIÓN DEFENSIVA

– Es la acción de situarse en el campo según la posición de los compañeros adversarios y balón, en relación a su portería.

CONSIDERACIONES

– Incidiremos en diferentes posibilidades de colocación defensiva dependiendo de
• La situación del balón   ... zona del campo.
                            ... según las posibilidades de ejecución que tenga el poseedor.

• Sistema de juego empleado

– La colocación defensiva tiene dos objetivos:
• Estar en la mejor disposición para detener el balón rematado a gol.
• Estar en la mejor disposición para anticiparse a la acción de los delanteros contrarios.

JUEGO DE FÚTBOL

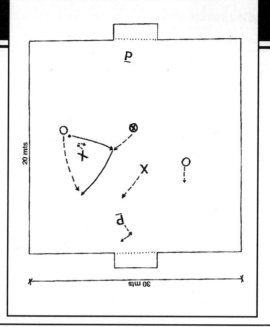

Reglamento: P.2 : P.2 + 1Ca

– El equipo poseedor del balón tratará de marcar gol, pudiendo tirar desde cualquier posición.
– El equipo atacante contará con la colaboración de 1 comodín.
– Podemos penalizar el fuera de juego o no.
– Dependiendo del nivel de los jugadores podemos limitar el juego a 1-2 toques.

Aspectos a observar y corregir:

– La constante movilidad del portero para colocarse correctamente en relación a las acciones ofensivas de los contrarios.

Manifestación del objetivo:

– La superioridad numérica atacante, el reducido espacio de juego y los escasos jugadores participantes, requerirán una constante participación del portero, y por tanto la necesidad de que esté correctamente colocado para evitar los goles.

JUEGO CORRECTIVO

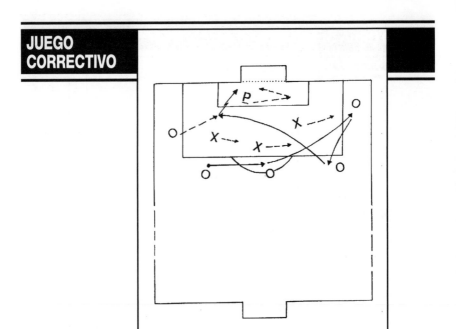

Reglamento: 5 : P.3

- Los atacantes jugarán por fuera del área de penalty, y sólo podrán entrar para tirar (un sólo toque) con el pie o rematar de cabeza.
- Los defensas no podrán salir del área.
- Se podrá jugar a:
    • toques libres   • toques limitados
- Cada vez que un defensor o el portero recuperen el balón, un atacante, (el que lleve más tiempo en esa demarcación) pasará a defender, y un defensa (el que lleve más tiempo) pasará a atacar.
- Si durante 1 minuto no se consigue marcar gol, se procederá a los cambios mencionados.

Aspectos a observar y corregir:

- Constante reorientación de la colocación del portero para poder neutralizar las acciones ofensivas de los atacantes.

Manifestación del objetivo:

- Los continuos desplazamientos que experimentará el balón obligarán al portero a modificar constantemente su colocación.

ESTRATEGIA DEFENSIVA

– Son las acciones previstas y estudiadas que se realizarán en relación a un saque del contrario.

CONSIDERACIONES

– Incidiremos en la correcta colocación, por parte del portero, de sus defensores.
– Prever o intuir las posibilidades de ejecución del contrario para anticiparse a su acción.
– Incidir en la correcta colocación y posición en cada uno de los tipos de saque.

JUEGO CORRECTIVO

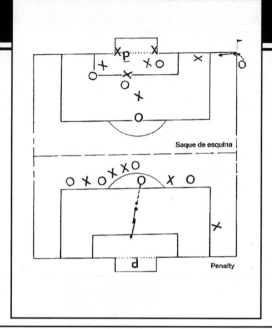

** Trabajaremos este aspecto con juegos correctivos en los que se analizarán las posiciones del portero y sus defensas en distintos saques del contrario. Todas las acciones deben ser a balón parado.

** Estas acciones pueden ser trabajadas durante un juego de fútbol o un partido en el momento que se produzca uno de estos saques.
Dentro del juego realizaremos varias repeticiones de los movimientos correctos (muy pocos para evitar la monotonía), para seguir con su desarrollo normal en forma de competición.

Saque de portería	Saque de esquina	Saques libres
Penalty	Saque de banda	Saque inicial

PRINCIPIOS TÁCTICOS

• Dirección y colocación de los defensas

Es la capacidad de organizar y dirigir las acciones tácticas, más adecuadas en cada momento, de los jugadores del propio equipo cuando están defendiendo.

• Diferentes zonas de juego-remate

Hace referencia a las distintas características que presenta cada zona del campo en relación a las posibilidades ofensivas y de remate del contrario.

• Ángulos de tiro

Hace referencia a la posición que debe mantener el portero en relación a las distintas situaciones del balón dentro de la zona de tiro.

• Atención constante a las acciones y características de contrarios y compañeros

Es la capacidad de determinar y prever las posibles acciones a realizar por el contrario, dependiendo de sus características y la de nuestros compañeros, con el objetivo de anticiparse a su acción.

TÁCTICA OFENSIVA DEL JUGADOR

CONCEPTOS DE LA TÁCTICA OFENSIVA	ACCIONES DE CADA CONCEPTO
– Táctica colectiva Conjunto de acciones tácticas que se realizan relacionando contrario/s, compañero/s, balón y portería. Existen dos tipos de acciones: **– Acciones individuales** Conjunto de acciones de la táctica colectiva que son realizadas por un solo jugador. **• Acciones colectivas** Conjunto de acciones· de la táctica colectiva en la que intervienen de forma directa más de un jugador.	 **– Acciones individuales** • Apoyo • Desmarque • Creación de espacios libres • Desdoblamiento • Vigilancia ofensiva • Amplitud • Profundidad • Pasar o progresar • Superioridad numérica • Trabajo en las diferentes zonas. **– Acciones colectivas** • Estas acciones forman parte de los objetivos de la etapa de tecnificación (AT-2)
– Principios tácticos ofensivos · Son consideraciones genéricas que se han de tener en cuenta durante el desarrollo del juego.	**– Principios** • Ayudas constantes • Velocidad en el juego • Orientación del juego • Cambios de orientación • Progresión en el juego • Cambios de ritmo en el juego • Transición defensa-ataque

APOYO

– Es la acción de colocarse libre de marcaje en situación de recibir el balón de un compañero con ventaja.

CONSIDERACIONES

– Incidiremos en:
• La realización prioritaria del apoyo en profundidad.
• La correcta colocación evitando la posible interceptación del pase por parte del contrario.

JUEGO DE FÚTBOL

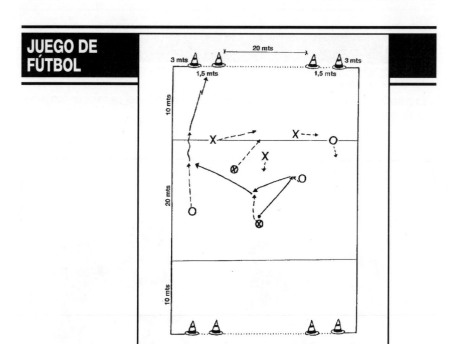

Reglamento: 3:3 + 2Ca

– El equipo poseedor del balón ayudado por los 2 comodines tratará de marcar gol al equipo contrario.
– El gol lo podrá conseguir:
  • Entrando con balón controlado en la portería central (20 m)
  • Tirando a las porterías laterales desde el interior de la zona de portería.

Aspectos a observar y corregir:

– Mantener la amplitud y la profundidad de forma que existan espacios libres, facilitando el apoyo de los jugadores desmarcados.

Manifestación del objetivo:

– Las grandes dimensiones del terreno respecto al número de jugadores participantes, y la superioridad numérica atacante, facilitará la manifestación de apoyos.

JUEGO CORRECTIVO

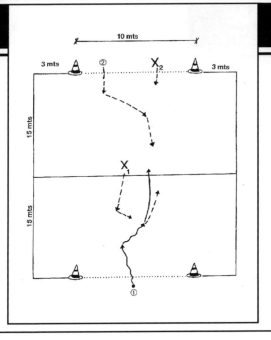

Reglamento:

– El atacante O₁ saldrá desde atrás de su línea de meta con balón controlado.
– En ese momento X₁ que saldrá desde la línea de medio campo, intentará obstaculizarlo.
– O₁ intentará pasar a O₂ sin salir de su campo.
– O₂ le apoyará también desde su campo.
– Cuando el balón entre en el campo de O₂, X₂ (para defender) y O₁ (para apoyar) también lo podrán hacer.
– X₁ no podrá salir de su campo, pero estará muy atento a apoyar a X₂ por si recupera el balón, poder hacer gol entrando con el balón controlado en la línea de meta contraria.

Aspectos a observar y corregir:

– Colocación correcta del jugador que realiza el apoyo para evitar que el defensa pueda interceptar el pase.
– Movilidad en el apoyo para engañar al defensa o rectificarlo si fuera necesario.

Manifestación del objetivo:

– La situación 2:1 provocada durante el juego obligará a ejecutar correctamente el apoyo para poder marcar gol.

EJERCICIO CORRECTIVO

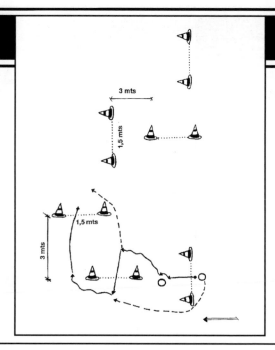

Reglamento:

– Cada pareja debe hacer pasar el balón entre las porterías (gol), realizando un pase entre ellos.
– Competirán varias parejas en circuitos iguales, resultando vencedora la que primero consiga gol en todas las porterías.

Aspectos a observar y corregir:

– Coordinación entre los componentes de la pareja a la hora de buscar una nueva portería donde marcar gol.

Manifestación del objetivo:

– El jugador que no tiene el balón deberá colocarse detrás del espacio dejado por los conos (adversarios), para poder recibir el balón.

DESMARQUE

– Es la acción de distanciarse del contrario que nos marca hacia un espacio libre determinado, para recibir el balón con ventaja.

CONSIDERACIONES

– Realizaremos el desmarque cuando:
   • El poseedor del balón no pueda realizar otra acción más eficaz.
   • El poseedor esté en disposición de realizar el pase al espacio libre hacia el que nos desmarcamos.
– El desmarque lo realizaremos:
   • Mediante un cambio de ritmo, a ser posible con finta de engaño previa, para recibir el balón con ventaja respecto al defensor.
– El desmarque más eficaz es el que se manifiesta en profundidad.

JUEGO DE FÚTBOL

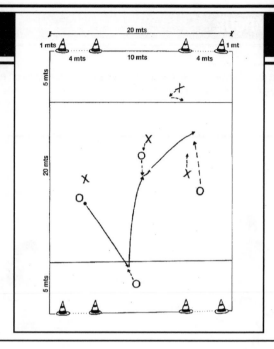

Reglamento: 4:4

– Cada equipo deberá mantener a un jugador en su zona de portería. (Defensa libre, que no podrá jugar fuera de dicha zona.)
– Para marcar gol se debe penetrar con el balón controlado en una de las dos porterías contrarias.

Aspectos a observar y corregir:

– Mantener la amplitud y la profundidad en el juego para que existan espacios libres hacia los que dirigirse en la realización de un desmarque.

Manifestación del objetivo:

– La igualdad numérica existente en la zona de medio campo provocará la utilización de desmarques.
– El defensa libre contribuirá a dificultar el empleo del regate en la situación 1:1, con lo que el poseedor deberá jugar el balón con sus compañeros.

JUEGO CORRECTIVO

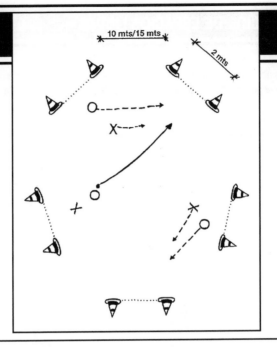

10 mts/15 mts

2 mts

Reglamento: 3:3

– El equipo atacante deberá hacer gol en una de las 5 porterías, entrando con balón controlado.
– Cada equipo dispondrá de un tiempo establecido para marcar el mayor número de goles posibles.
– Si los defensas controlan el balón podrán mantenerlo en su posesión para que transcurra el tiempo de juego de los atacantes.

Aspectos a observar y corregir:

– Colocación de los atacantes orientados en relación a una portería. Si el defensor lo marca, realizará un desmarque hacia otra que esté libre.

Manifestación del objetivo:

– La situación de igualdad numérica, y la existencia de 2 porterías libres, propiciará la utilización de desmarques de forma persistente.

CREACIÓN DE ESPACIOS LIBRES

– Es la acción de provocar, mediante un desplazamiento, la salida de nuestro marcador de la zona que ocupa con la finalidad de facilitar la entrada en ella de un compañero.

CONSIDERACIONES

– Crearemos un espacio libre cuando:
  - Exista un compañero que pueda aprovecharlo
  - El poseedor pueda ejecutar el pase hacia el espacio libre.
  - No exista posibilidad de jugar al balón de una forma más eficaz antes de la creación del espacio.
– El jugador que crea el espacio debe realizar:
  - La acción del desplazamiento de forma manifiesta.
  - El desplazamiento hacia un espacio libre aprovechando la posibilidad de recibir el balón.
  - El desplazamiento hasta dejar completamente libre el espacio.

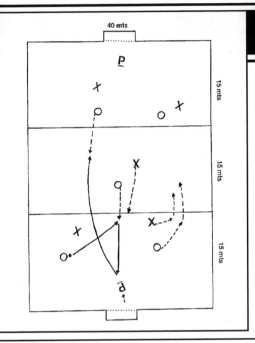

Reglamento: 5:5

– En las zonas de porterías de cada equipo deberá haber 2 atacantes y 2 defensas.
– En la zona de medios habrá un jugador por equipo.
– Para que un jugador salga de su zona debe ocurrir una de las siguientes circunstancias:
  • Que en la zona que va a ocupar no esté el compañero previsto
  • Estar en posesión del balón
  • Correr para controlar el balón
– Los defensas marcan al hombre, siendo determinados los marcajes por el entrenador antes de iniciarse el juego. Los defensas sólo podrán salir de su zona de juego cuando lo haga el jugador al que marcan.

Aspectos a observar y corregir:

– Incidir en la cobertura del balón. Una buena cobertura del balón evitará la pérdida del mismo hasta el momento en que se pueda realizar el pase a un compañero que esté en buena disposición para recibirlo.

Manifestación del objetivo:

– La reglamentación provocará la necesidad de salir de la zona (creación del espacio libre) y de que un compañero entre en ella para apoyar.

JUEGO CORRECTIVO

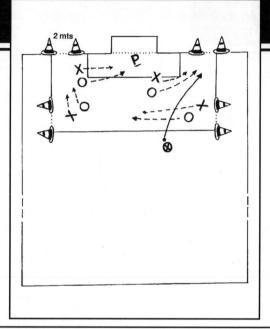

Reglamento: P.4 : 4 + 1Ca

– El equipo atacante puede conseguir gol desde dentro del área (ayudado por el como-
dín que juega fuera de ella) de los siguientes modos:
  • En las 4 porterías pequeñas con balón controlado.
  • En la portería defendida por el portero.
– El comodín no podrá hacer gol.
– Será el encargado de iniciar siempre el juego.
– Una vez finalizado el tiempo establecido para cada equipo, se cambiarán los papeles
de ataque y defensa.
– Podemos limitar el número de toques según el nivel de los jugadores.
– Si el equipo defensor recupera el balón, podrá mantenerlo en su posesión, procurando
que transcurra el tiempo.

Aspectos a observar y corregir:

– Orientación de los atacantes hacia una portería, para desde esa posición intentar el
desmarque hacia la portería libre.

Manifestación del objetivo:

– La necesidad de desmarcarse para recibir el balón provocará la creación de un espacio
libre (portería desprotegida).

DESDOBLAMIENTO

– Es la acción de ocupar o cubrir la zona que abandonó un compañero, al desplazarse para colaborar en el juego ofensivo.

CONSIDERACIONES

– Realizará el desdoblamiento, prioritariamente, el jugador que no participe de forma directa en el ataque.
– El desdoblamiento nos permitirá mantener la estructura del sistema de juego.
– El jugador que realice el desdoblamiento asumirá las funciones de la demarcación que ha ocupado.

JUEGO DE FÚTBOL

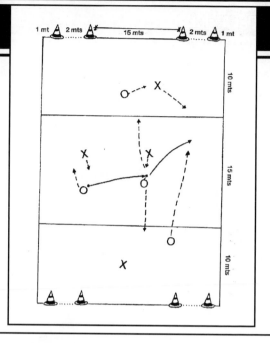

Reglamento: 4:4

– Cada equipo mantendrá un jugador en la zona de portería contraria.
– El resto de jugadores podrán desplazarse libremente por todo el campo.
– Para marcar gol se podrá golpear sobre cualquiera de las 2 porterías desde el interior de la zona.

Aspectos a observar y corregir:

– Correcta colocación del jugador adelantado del equipo defensor, para poder recibir el balón en caso de que sus compañeros lo recuperen.

Manifestación del objetivo:

– La existencia de un jugador adelantado del equipo defensor obligará al equipo atacante a mantener un jugador vigilándolo.
– El jugador que realiza la vigilancia apoyará en el ataque, aprovechando los espacios libres existentes. En ese momento otro jugador atacante deberá pasar a realizar la vigilancia del defensa adelantado.

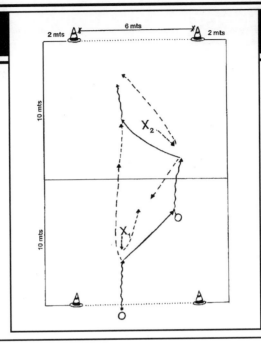

Reglamento: 2:2

– Los atacantes deberán marcar gol conduciendo el balón a través de la portería de 6 m, pudiendo jugar por todo el campo.

– Cada defensa jugará únicamente en una mitad del campo, lo que le permitirá, si él o su compañero recuperan el balón, marcar un gol en contraataque con balón controlado.

– El juego finalizará cuando:
  • los atacantes marquen gol • los defensas marquen gol
  • el balón salga fuera de los límites del terreno
  • haya transcurrido el tiempo establecido (30 segundos por ejemplo).

Aspectos a observar y corregir:

– Rápida acción de contraataque por parte de los defensas al recuperar el balón.

Manifestación del objetivo:

– La existencia de un defensa adelantado obligará al equipo atacante a mantener un hombre vigilándolo tras superar el 2:1, ya que dada la estrechez del campo es muy posible que exista pérdida del balón en ataque. Si en ese momento el defensa adelantado está solo, significará con casi total seguridad un gol en contraataque.

VIGILANCIA OFENSIVA

– Es la acción de controlar al contrario que no participa en las acciones defensivas de su equipo.

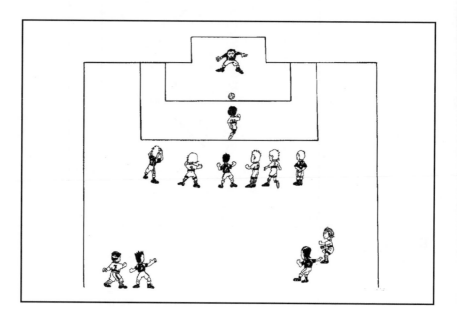

CONSIDERACIONES

– La vigilancia ofensiva tiene varios objetivos:
  • Evitar que el jugador vigilado reciba el balón.
  • Recuperar los balones despejados por la defensa contraria.
  • Apoyar, si es necesario, el juego ofensivo del equipo.
– Debemos tener en cuenta:
  • La posición y orientación respecto al contrario.
  • La distancia a mantener sobre él.
  • No dejar al contrario a nuestra espalda si estamos en campo contrario (no existe fuera de juego).

JUEGO DE FÚTBOL

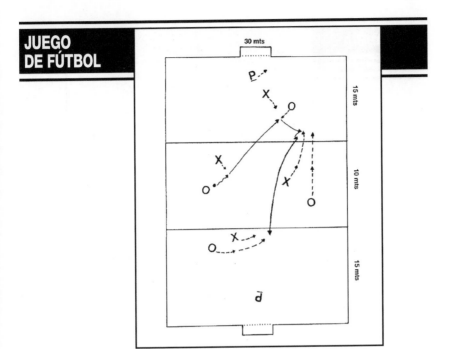

Reglamento: P.4 : P.4

– Cada equipo mantendrá a un jugador en cada zona de portería, que no podrán salir de la misma.
– El resto de jugadores podrán jugar por todo el campo.
– El equipo poseedor tratará de marcar gol tirando desde cualquier posición siempre que se halle en el interior de la zona de portería.
– Ir rotando los jugadores "fijos".

Aspectos a observar y corregir:

– La correcta posición del jugador que se mantiene en su zona defensiva cuando su equipo ataca, de forma que pueda anticiparse a su contrario ante un balón despejado o jugado en contraataque por la defensa contraria.

Manifestación del objetivo:

– La necesidad de vigilar a un jugador del equipo que defiende, situado en la zona de portería del equipo atacante, implica la utilización de la vigilancia ofensiva.

JUEGO CORRECTIVO

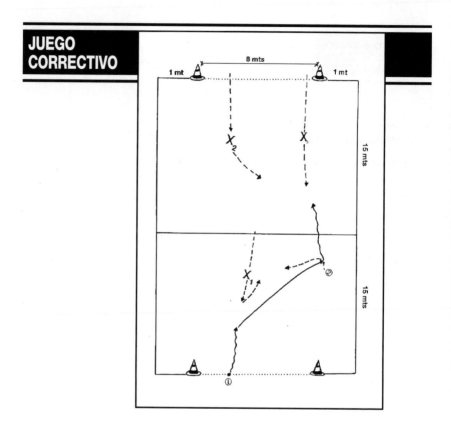

Reglamento:

– El jugador atacante O_1, que iniciará la jugada, sólo jugará en su medio campo.

– El jugador O_2 le apoyará e intentará marcar gol conduciendo el balón a través de la línea de meta contraria.

– El defensa X_1 jugará sólo en la mitad de campo contraria.

– X_2 y X_3 jugarán en su mitad de campo. Si recuperan el balón podrán jugarlo con X_1 para tratar de marcar gol en la portería contraria.

– La jugada finalizará cuando:

 • los atacantes marquen gol
 • los defensas marquen gol
 • el balón salga fuera
 • o finalice el tiempo establecido (30 segundos por ejemplo).

Aspectos a observar y corregir:

– La correcta colocación de O_1 en la vigilancia, de forma que X_1 no pueda recibir el balón.

Manifestación del objetivo:

– La superioridad numérica de X_2 y X_3 sobre O_2 (1:2) provocará con frecuencia la recuperación del balón.
De ahí surgirán numerosos contraataques que sólo podrán ser evitados mediante la realización de una correcta vigilancia sobre X_1.

AMPLITUD

– Es la acción realizada en relación a la anchura del campo para ampliar la zona de ataque, posibilitando la existencia de mayores espacios.

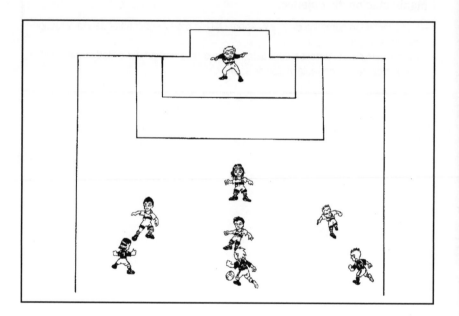

CONSIDERACIONES

– Mantendremos la amplitud con una correcta posición de apoyo que permita recibir el balón con ventaja.
– El jugador que manifiesta la amplitud en la zona opuesta donde está el balón o hacia donde se orienta el juego, se situará ligeramente atrasado y más próximo al balón para:
  • Realizar un apoyo de emergencia.
  • Que se pueda realizar un cambio de orientación.
  • Estar en diposición de evitar la progresión del contrario en caso de pérdida de balón.

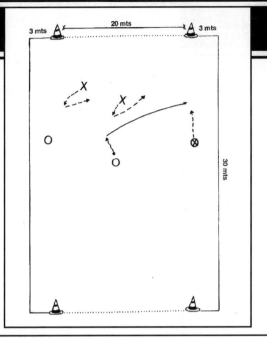

Reglamento: 2:2 + 1Ca

– El equipo poseedor del balón, que contará con la colaboración del comodín, podrá marcar gol conduciendo el balón a través de la línea de meta contraria.
– El fuera de juego será penalizado según el nivel de los jugadores.

Aspectos a observar y corregir:

– Los jugadores laterales deben desplazarse y jugar lo más cerca posible de las bandas.
– Búsqueda y aprovechamiento de situaciones 2:1.

Manifestación del objetivo:

– Ya que la defensa no podrá cubrir correctamente todo el ancho del campo (dadas las dimensiones del mismo) la orientación del juego aprovechando al máximo esta amplitud simplificará la obtención del gol.

JUEGO CORRECTIVO

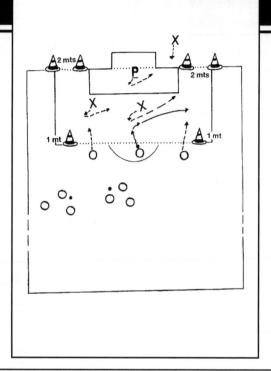

Reglamento: 3:P.2

– Realizaremos el juego en el área de penalty.

– Saldrán 3 jugadores en ataque, que podrán marcar gol:

• tirando sobre la portería defendida por el portero

• o entrando con balón controlado en las pequeñas porterías laterales.

– 2 defensas tratarán de evitar el gol, y si recuperan el balón podrán contraatacar con la ayuda del tercer compañero que saldrá desde su portería.

– Al finalizar la jugada (gol de atacantes o defensas o pérdida del balón), el grupo que atacaba pasará a defender (descansando un jugador para el contraataque), el equipo que defendía descansará, y el que descansaba pasará a atacar. La jugada puede finalizar una vez transcurrido el tiempo máximo establecido.

– Si el portero detiene el balón podrá iniciar un contraataque pasando el balón a un defensor.

Aspectos a observar y corregir:

– Realización correcta del apoyo por parte del jugador desmarcado de forma que el defensa no pueda interceptar el pase.

– El jugador en posesión del balón que no es presionado por ningún defensa debe progresar hacia portería sin dudarlo.

Manifestación del objetivo:

– Este juego responde a un nivel de iniciación debido a la facilidad con la que se manifestará la amplitud y consecución de goles.

PROFUNDIDAD

– Es la posición o desplazamiento realizada por delante del balón, y en dirección a la línea de meta contraria para facilitar la progresión del mismo.

CONSIDERACIONES

– Incidiremos en el aprovechamiento de la profundidad de:
  • Los jugadores que la manifiestan:
    Correcta posición de apoyo para recibir el balón con ventaja.
  • Los jugadores que la aprovechan:
    Predisposición para jugar el balón en profundidad
    Realizar un desplazamiento de apoyo, posterior al pase, superando la línea defensiva contraria.

JUEGO DE FÚTBOL

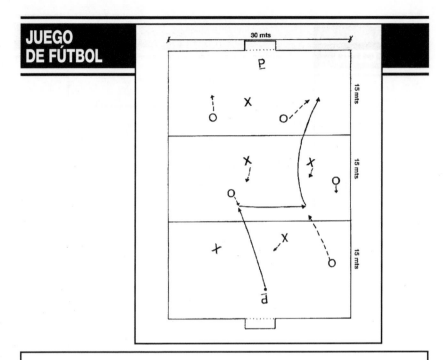

Reglamento: P.5:P.5

– Cada equipo mantendrá dos jugadores en la zona de portería contraria, que sólo podrán salir de la misma para recibir o tocar el balón, debiendo volver rápidamente a su lugar.
– El resto de jugadores podrá jugar por todo el campo.
– Para marcar gol se debe tirar a puerta desde el interior de la zona de ataque.

Aspectos a observar y corregir:

– Colocación adecuada de los jugadores "puntas" de forma que puedan recibir el balón.
– Disposición de los jugadores que inician el ataque para aprovechar la profundidad creada por sus compañeros, superando rápidamente a sus marcadores.

Manifestación del objetivo:

– La existencia de 2 "puntas" en profundidad y la dificultad de superar a los defensas en el resto del terreno (igualdad numérica) provocará la necesidad de jugar en ruptura para llegar a zona de remate.

JUEGO CORRECTIVO

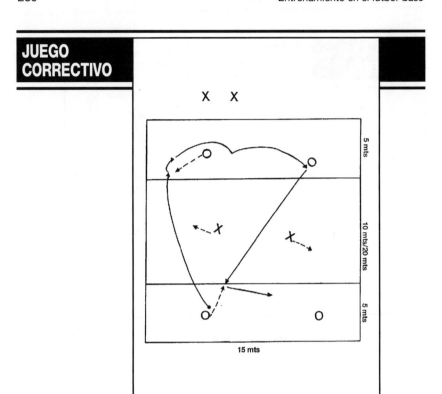

Reglamento:

– El equipo –O– debe lograr que el balón pase de una zona a otra el mayor número de veces evitando que los jugadores –X– lo intercepten.

– Cada vez que un equipo defiende descansarán 2 jugadores distintos.

– Entre otras podemos establecer una competición de las siguientes formas:

  • Gana el equipo que más pases realiza en un tiempo determinado.

  • Gana el equipo que logra antes 11 pases.

  • Cuando el balón es interceptado hay cambio de papeles entre equipo atacante y defensor.

– Cada jugador sólo puede jugar el balón 2 veces antes de que el mismo pase a la otra zona, disponiendo cada vez de 3 toques.

– El balón nunca puede estar parado.

– Podemos plantear, en lugar del 4:2, un 4:3 o 4:4.

Aspectos a observar y corregir:

– Apoyar correctamente al jugador que posee el balón para evitar la interceptación del pase.

Manifestación del objetivo:

– Se trata de habituar al jugador a desplazar el balón hacia los compañeros situados en profundidad.

– Dado que no existe una aplicación directa en el fútbol de esta forma de manifestación de la profundidad, se trata de un nivel muy básico de desarrollar esta acción táctica.

(Durante el desarrollo del libro quedan expuestos otros juegos para desarrollar la profundidad.)

PASAR O PROGRESAR

– Son las soluciones, determinadas según las situaciones de juego, que tiene el poseedor del balón para dar continuidad al mismo.

CONSIDERACIONES

– El poseedor del balón progresará cuando tenga espacio y no haya ningún compañero desmarcado en profundidad.

JUEGO DE FÚTBOL

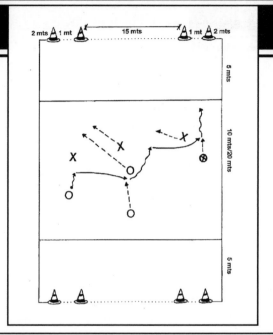

Reglamento: 3:3 + 1Ca

– El equipo poseedor del balón tratará de marcar gol en una de las 3 porterías contrarias, para lo que contará con la ayuda del comodín.
– El gol puede marcarse de dos formas:
 • Entrando con balón controlado en la portería de 15 m.
 • Tirando desde el interior de la zona de portería sobre las porterías laterales (1 m).

Aspectos a observar y corregir:

– Correcta ejecución de los apoyos.
– Pasar el balón al compañero antes de recibir la presión del contrario.
– Provocar amplitud y profundidad.
– Progresar mientras tengamos espacio.

Manifestación del objetivo:

– La superioridad numérica, la amplitud de la portería central y la existencia de las 2 porterías laterales provocarán situaciones de 1:1 que ofrecerán al poseedor la posibilidad de progresar con el balón, o pasarlo a un compañero (2:1).

JUEGO CORRECTIVO

Reglamento: 2:1

– Los 2 jugadores atacantes –O–, entrarán en el terreno para marcar en una de las 2 porterías laterales con balón controlado.

– El defensa X_1 saldrá desde la línea de medio campo, y sólo podrá jugar en la mitad del campo contrario.

– El defensa X_2 saldrá desde su línea de meta en el momento que el balón entre en su medio campo. Sólo podrá jugar en esa mitad de campo.

– Si los defensas recuperan el balón podrán marcar gol en la otra portería.

– La jugada finaliza cuando:
  • uno de los equipos marca gol
  • el balón sale fuera de los límites del campo
  • transcurre el tiempo establecido

– Resultará vencedora la pareja que marque más goles.

– Si el nivel de los jugadores es mayor, podemos aumentar el ritmo de juego haciendo que compitan 2 grupos en distintos campos, de forma que sólo se anote el gol aquel que lo marque primero.

Aspectos a observar y corregir:

– La amplitud de los atacantes.
– Correcta realización del apoyo.
– Correcta decisión entre pasar o progresar, según la posición del defensa a superar.

Manifestación del objetivo:

– La necesidad de marcar gol rápidamente (tiempo establecido o competición contra otra pareja) provocará la progresión rápida del balón.
– Así, ante la presencia de los defensas, se establecerán en cada ataque dos situaciones en las que el poseedor deberá decidir entre pasar o progresar.

SUPERIORIDAD NUMÉRICA

– Es la acción de entrar, desmarcado, en la zona del compañero que controla el balón y que está marcado, con la intención de desbordar al contrario estableciendo una situación de 2:1.

CONSIDERACIONES

– Incidir en la rectificación y mejora de las situaciones provocadas en el juego 2:1.

JUEGO DE FÚTBOL

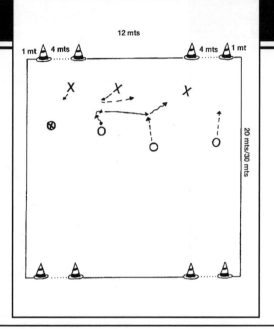

Reglamento: 3:3 + 1Ca

– El equipo poseedor del balón podrá conseguir el gol cruzando una de las 2 porterías laterales, con el balón controlado, para lo que contará con la ayuda del comodín.
– El equipo atacante iniciará el juego sacando el balón por el suelo, desde su línea de meta.

Aspectos a observar y corregir:

– Mantener una correcta amplitud que permita realizar cambios de orientación.
– Diferentes incorrecciones habituales. (Ver apartado "Importancia y necesidad de la Táctica en la etapa de iniciación".)

Manifestación del objetivo:

– La superioridad numérica y la existencia de 2 porterías, si el equipo atacante reorienta correctamente su juego, provocará en una de las porterías claras situaciones de 2:1.

JUEGO DE FÚTBOL

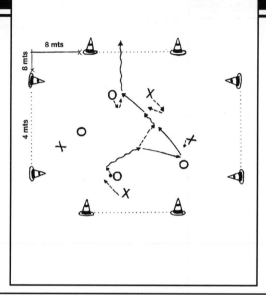

Reglamento: 4:4

– El equipo poseedor podrá marcar gol entrando con balón controlado en cualquiera de las 4 porterías.

Aspectos a observar y corregir:

– Creación de superioridad en una portería con rápidos cambios de orientación en el juego.

Manifestación del objetivo:

– Cualquier desmarque producido hacia una portería donde exista un compañero y un contrario (siempre que se haga en el momento preciso, en coordinación con el balón) creará una situación 2:1.

JUEGO CORRECTIVO

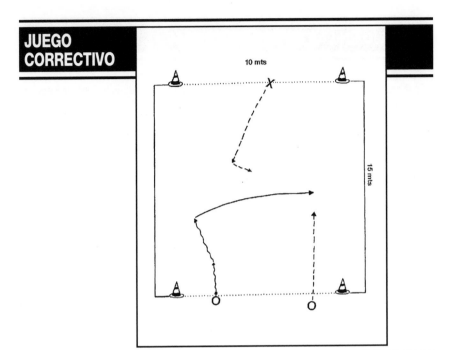

Reglamento: 2:1

– Los atacantes deberán marcar gol conduciendo el balón a través de la línea de meta.
– El defensor saldrá de la línea de meta en el momento que los atacantes entren en el terreno de juego.

Aspectos a observar y corregir:

– Amplitud de los atacantes.
– No parar el balón al recibir el pase, sino realizar un control orientado en progresión, sin detener la carrera.

Manifestación del objetivo:

– Se trata de un juego correctivo "clásico" en el que se incidirá de forma básica y específica en el aprovechamiento de una situación de superioridad (2:1).

TRABAJO EN LAS DIFERENTES ZONAS

– Es la realización diferenciada de las distintas acciones tácticas según la zona de juego en que se realizan.

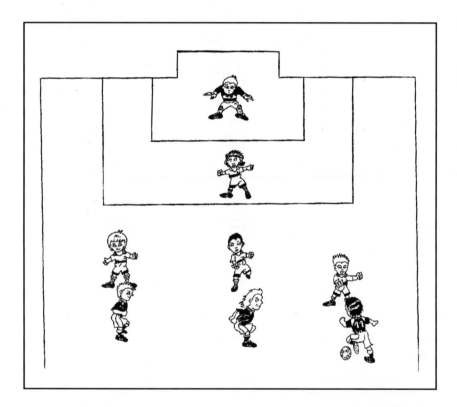

CONSIDERACIONES

– Se deben diferenciar las acciones a realizar según:
  • Lugar ocupado en una línea de juego (derecha, centro o izquierda)
  • Según la línea de juego donde se realice.

TRABAJO CORRECTIVO

Jugaremos un partido analizando los aspectos correspondientes a las acciones plantea-das como objetivo, en relación a cada una de las zonas de trabajo.

Plantearemos **Juegos de fútbol** en los que:

• El gol se marque:

> Entrando en conducción en una portería amplia
> Tirando sobre una portería defendida por un portero

• Se establezcan 2 líneas de juego por equipo, para iniciar la relación que debe existir entre los jugadores de distintas líneas.

– Dentro de cada línea mantendremos al jugador en una zona concreta (derecha, centro o izquierdo Plantearemos **Juegos correctivos** en los que se establezcan situaciones de:

> • 3:1   • 3:1 + P

PRINCIPIOS TÁCTICOS OFENSIVOS

• **Ayudas constantes**

Hace referencia a la necesidad de la existencia de movilidad permanente de los jugadores de un equipo, para facilitar al poseedor del balón las máximas y mejores soluciones en cada momento.

• **Velocidad en el juego**

Hace referencia a la realización de las acciones tácticas más adecuadas en cada momento, lo más rápidamente posible, con la finalidad de sorprender al contrario.

• **Orientación del juego**

Hace referencia a la progresión del balón en una dirección concreta que se considera, en cada caso, la más adecuada, teniendo en cuenta la acumulación de adversarios en una zona, las características ofensivas y defensivas de compañeros y adversarios, y el propio planteamiento de juego.

• **Cambios de orientación**

Se trata de provocar una nueva orientación en el juego, a partir de que la tomada anteriormente ya no resulta eficaz.

• **Progresión en el juego**

Hace referencia a la necesidad de que el balón se sitúe en el menor tiempo posible en la zona de tiro de la portería contraria.

• Cambios en el ritmo del juego

Hace referencia a la alternancia del juego lento con el rápido para sorprender al adversario en el momento y situación más adecuados.

• Transición defensa-ataque

Es el cambio rápido y adecuado de actitud de los jugadores, en relación a la recuperación del balón por parte de su equipo.

TÁCTICA OFENSIVA DEL PORTERO	
CONCEPTOS DE LA TÁCTICA OFENSIVA	**ACCIONES DE CADA CONCEPTO**
– Acciones ofensivas Son las acciones tácticas realizadas cuando el balón está en posesión de un compañero.	**– Acciones** • Apoyo de emergencia • Colocación ofensiva
– Principios tácticos ofensivos Son consideraciones genéricas que deben tenerse en cuenta durante el desarrollo del juego.	**– Acciones** • Dirección y colocación de los defensas • Inicio y orientación del juego

COLOCACIÓN OFENSIVA

– Es la acción de situarse en el campo según la posición de los compañeros, adversarios y balón en relación a la propia portería.

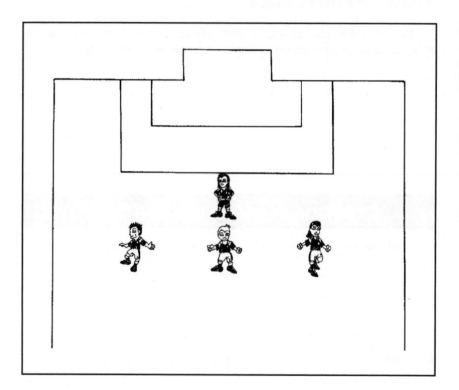

CONSIDERACIONES

– La posición, orientación y distancia se determinarán valorando los siguientes objetivos:
  • Anticiparse al contrario en el control del balón en los despejes o lanzamientos en profundidad.
  • Evitar que nos supere el balón lanzado hacia nuestra portería.

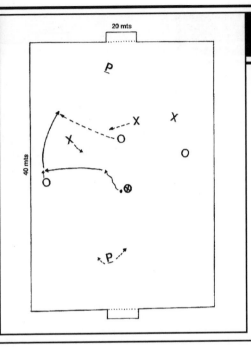

Reglamento: P.3 : P.3 + 1Ca

– El equipo poseedor del balón deberá marcar gol a partir del inicio de su juego ofensivo, pudiéndolo lograr mediante cualquier acción y desde cualquier posición del campo, en un tiempo máximo de 20 segundos.
– Transcurrido el tiempo, el balón pasará a poder del equipo contrario que iniciará el juego desde un saque de portero.

Aspectos a observar y corregir:

– Correcta orientación del juego por parte del portero al iniciar el ataque.
– Orientar la colocación de los compañeros.

Manifestación del objetivo:

– La velocidad con la que se debe marcar gol y la distancia existente entre las porterías, provocarán la necesidad de realizar un apoyo y de colocarse correctamente para anticiparse a un contrataque, así como evitar ser sorprendidos por un lanzamiento largo a portería.

JUEGO CORRECTIVO

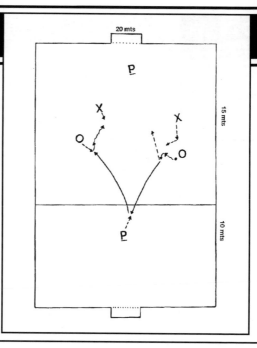

Reglamento: P.2 : P.2

– El portero del equipo poseedor jugará de libre dentro de su medio campo.
– Sus compañeros jugarán en la mitad de campo contraria para intentar marcar gol
– Si los defensas recuperan el balón podrán marcar gol tirando a portería directamente desde su campo, no pudiendo entrar en el contrario.
– La jugada finaliza cuando uno de los dos equipos marca gol o el balón sale de los límites del terreno de juego.
– Cambiar de ubicación a los equipos, realizando una competición consistente en lograr más goles que el contrario.

Aspectos a observar y corregir:

– Correcta colocación del portero.

Manifestación del objetivo:

– El portero deberá decidir cuál debe ser su colocación de forma que pueda ayudar a sus compañeros en ataque, sin que exista un gran riesgo de encajar un gol (muy adelantado) en el tiro lejano realizado por los defensas al recuperar el balón.

APOYO DE EMERGENCIA

– Es la acción de colocarse en situación de recibir el balón con ventaja cuando el poseedor tiene dificultades para mantener su control.

CONSIDERACIONES

– El apoyo nunca debe realizarse por delante de balón.
– La colocación y orientación del apoyo deberá tener en cuenta la posición del balón respecto a la portería.
– Incidir en el cambio de orientación del juego al recibir el balón en un apoyo de emergencia.

JUEGO DE FÚTBOL

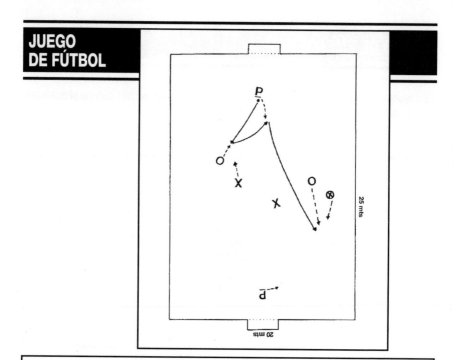

Reglamento: P.2 : P.2 + 1Cd

– El equipo poseedor deberá superar la oposición del contrario (que tendrá la ayuda del comodín) para marcar gol.
– El inicio del juego lo realizará siempre el portero con las manos.
– El portero sólo podrá jugar con los pies cuando el balón le venga de un compañero.
– Si el comodín recupera el balón, deberá pasárselo a su portero para que éste inicie el juego ofensivo de su equipo. Antes de iniciar ese juego ofensivo, el comodín pasará a jugar con el equipo defensor.

Aspectos a observar y corregir:

– Si al inicio de la jugada el contrario realiza presión, jugar en profundidad.
– Correcta orientación del juego para poder superar la acción defensiva del contrario.

Manifestación del objetivo:

– La superioridad numérica de la defensa en el inicio del juego provocará la necesidad de realizar un apoyo de emergencia por parte del portero, para asegurar la posesión del balón.

JUEGO CORRECTIVO

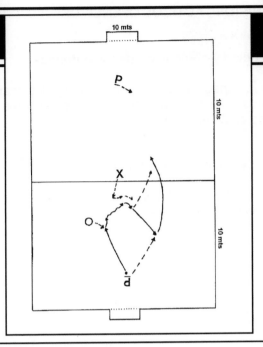

Reglamento: P.1 : P.1

– El juego se inicia con un saque de portero.
– Cuando el balón es jugado por el portero el defensa X puede entrar en el medio campo contrario para intentar arrebatárselo al poseedor.
– La jugada finaliza cuando:
  • Uno de los jugadores marca gol
  • El balón sale de los límites del campo
  • o transcurre el tiempo determinado (por ejemplo 30 segundos)
– El portero no puede marcar gol.

Aspectos a observar y corregir:

– El portero no deberá abandonar nunca la zona de definición para realizar el apoyo de emergencia.
– El jugador en posesión del balón deberá apoyarse en el portero para evitar la pérdida del mismo.

Manifestación del objetivo:

– El jugador que controle el balón deberá apoyarse en su portero para poder superar al defensa, evitando las situaciones 1:1

*** Esta acción resulta de gran importancia a partir de la nueva reglamentación que prohibe al portero jugar el balón con la mano cuando viene pasado con el pie por un compañero.

PRINCIPIOS TÁCTICOS OFENSIVOS

• **Dirección y colocación de los defensas**

Es la capacidad de organizar y dirigir las acciones tácticas más adecuadas en cada momento de los defensores del propio equipo, cuando están en ataque.

• **Inicio y orientación del juego**

Hace referencia al envío del balón hacia el jugador en mejor disposición para iniciar el juego ofensivo.

CAPÍTULO 5

CUALIDADES Y DESARROLLO DE LA PREPARACIÓN FÍSICA

Entendemos por Preparación Física el desarrollo de las cualidades físicas (cualidades condicionales y cualidades coordinativas) que permiten al jugador realizar las acciones técnicas y tácticas exigidas durante el desarrollo de la competición a una intensidad adecuada.

Como proceso formativo, el Programa AT-1 no pretende desarrollar estos elementos en sí mismos (que ya se desarrollan en un nivel básico mediante el juego). Se trata de mejorar los aspectos de los mismos, en cada una de las etapas apropiadas, de forma que el jugador pueda alcanzar un alto nivel en el futuro.

Además de las cualidades condicionales, que tradicionalmente son tenidas en cuenta, en la etapa de iniciación son fundamentales las cualidades coordinativas. Esta importancia radica en que nos encontramos en una franja de edades considerada óptima para el desarrollo de las mismas.

De esta forma, la parte esencial de la Preparación Física en estas edades consiste en desarrollar y estabilizar las bases del movimiento, para después encaminarlas hacia las características que presenta el fútbol.

Siguiendo la pauta marcada para el desarrollo de la técnica y de la táctica también en la Preparación Física consideramos imprescindible la presencia del balón, compañeros y adversarios. Deberemos tener en cuenta, sin embargo, las peculiares características de algunas cualidades, que no permitirán cumplir este criterio.

En este caso deberán ser desarrolladas a través de ejercicios correctivos.

Los aspectos físicos tienen una gran importancia en la consecución de un alto nivel de juego.

CONCEPTOS	CUALIDADES HASTA 9 AÑOS	CUALIDADES 10 Y 11 AÑOS	CUALIDADES 12 A 13 AÑOS
C U A L I D A D E S	• Coordinación Dinámica General – Desarrollo de ejerc. básicos (apoyos, giros, desplazamientos)	• Desarrollo de cualidades coordinativas de forma relacionada	• Desarrollo relacionado de cualidades coordinativas con formas aplicadas al fútbol
C O O R D I N A T I V A S	• Coordinación Dinámica Especial – Óculo-Manual – Óculo-Pédica – Óculo-Cabeza	• Desarrollo de cualidades etapa anterior de forma aislada – Fuerte incidencia en Coordin. Din. Especial – Óculo-Pédica – Óculo-Manual para el portero	• Desarrollo de cualidades coordinativas con formas aplicadas a la habilidad: – del portero. Coordinación Dinám. General acobracia – del jugador. Acciones de habilidad
Capacidades cualitativas esencialmente determinadas por procesos de conducción del sist. nervioso, que permiten dominar la mecánica global del cuerpo (1)	• Percepción Espacio-Temporal – Percep. Distancias – Percep. Trayec. – Percep. Velocid. – Visión Periférica • Equilibrio – Estático – Dinámico	• Coordinación Dinám. General para portero – Acrobacia – Aumento de dificultad respecto etapa anterior	

(1) Definición obtenida de Seirul·lo, F. *Apuntes Educación Física de base 4º curso I.N.E.F.C* (Barcelona) y Grosser,M. citado por Garganta Da Silva, J. Aspectos da Preparação Jovem Futebolista. *Horizonte Rev. Ed. Fisica e Desporto.* sept.-oct.,1986.

CONCEPTOS	CUALIDADES HASTA 9 AÑOS	CUALIDADES 10 Y 11 AÑOS	CUALIDADES 12 A 13 AÑOS
CUALIDADES C O N D I C I O N A L E S	• Velocidad – V. Reacción – V. Ejecución - Gestual - Frecuencia	• Velocidad – V. Reacción – V. Ejecución - Gestual - Frecuencia	• Velocidad formas aplicadas al fútbol – V. Reacción – V. Ejecución - Gestual - Frecuencia – V. Desplazam.
	• Resistencia – Aeróbica	• Resistencia – Aeróbica	• Resistencia – Aeróbica – Potencia Aeróbica
Son las cualidades esencialmente cuantitativas que dependen de proc. energéticos (2) (Incluimos las cualidades coordinativo condicionales)	- No se realiza trabajo específico de la fuerza	• Fuerza – Abdominal – Dorso - Lumbar	• Fuerza – Abdominal – Dorso - Lumbar – Tren superior – Tren inferior
	- No es necesario trabajo flexibilidad	• Flexibilidad – Tren inferior	• Flexibilidad – Tren inferior

(2) Grosser,M. citado por Garganta Da Silva, J. Aspectos da Preparaçao Jovem Futebolista. *Horizonte Rev. Ed. Fisica e Desporto.* sep.-oct.,1986.

COORDINACIÓN DINÁMICA GENERAL

– Es la cualidad coordinativa que nos permite relacionar nuestro cuerpo en el espacio.

CONSIDERACIONES

– Sólo interviene el cuerpo en relación con el espacio (no se maneja ningún elemento).
– Ejemplo de esta cualidad son correr, saltar, girar, rodar, etc. Se pueden realizar de diversas formas, con distintas trayectorias y direcciones, sobre diferentes ejes, etc.
– Los ejercicios se pueden realizar utilizando una sola de estas acciones, o combinando varias de forma consecutiva o conjunta.
– El momento adecuado para desarrollar este trabajo es en la parte inicial de la sesión (no existe fatiga).
– Es una cualidad *indispensable*, no sólo para la práctica del fútbol sino *para cualquier actividad deportiva.*

EJERCICIO CORRECTIVO

Reglamento:

- Los jugadores nº 1 de cada equipo saldrán a la señal, realizando una voltereta hacia adelante, tras la cual se dirigirán a máxima velocidad hacia los bancos.
- Obtendrá un punto el jugador que, tras superar los bancos, logre hacerse con el balón y lo conduzca a través de la portería.
- El defensa puede recuperar el balón y marcar gol.
- Se debe lograr la formación de equipos equilibrados.
- Es importante realizar un gran número de variantes. Pasar los bancos:
  - Apoyando un pie.
  - Apoyando en el banco el pie de batida (derecho e izquierdo)
  - Con los pies juntos
  - Realizando un giro en el aire (apoyándose o no en el banco)
  - Con apoyo de manos
  - Etc.

Aspectos a observar y corregir:

– Nivel de ejecución de la voltereta adelante (rapidez de ejecución y finalización del movimiento de pie sin ayuda de manos).
– Fluidez de movimiento entre los saltos y la carrera.

Manifestación del objetivo:

– Con las diferentes variantes, los giros, saltos y formas de desplazamiento serán requeridos continuamente.
– La aparición de un balón y la conducción no se considera Coordinación Dinámica General (CDG). Se introduce tan sólo como elemento de motivación.

EJERCICIO CORRECTIVO

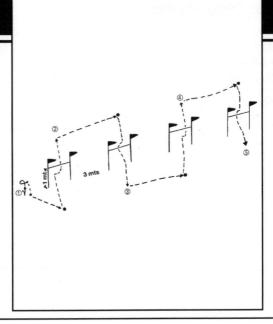

Reglamento:

– El jugador -1- iniciará el ejercicio realizando un salto vertical con giro completo, tras el cual saldrá corriendo hacia el balón situado a su derecha.

– Rápidamente deberá cogerlo y depositarlo junto a su compañero –2– tras pasar por debajo del obstáculo que les separa.

– Esta misma acción la realizará sucesivamente con todos los balones hasta finalizar con el jugador nº 5.

– En ese momomento el jugador nº 2 dejará el balón donde se encontraba inicialmente y se colará en el punto de salida.

– El jugador -3- se colocará en la posición de 2 tras depositar el balón en su posición inicial. -4-hará lo mismo que 3, ocupando su posicón.

– -5- igual pero ocupando la posición de -4-

– El jugador –1– ocupará la posición de -5-

– Es importante realizar un gran número de variantes:

• Sin balón

• Saltando los obstáculos (con/sin giro / pata coja / etc.)

• Con voltereta saltando por encima de un obstáculo (50 cm), (colchoneta o hierba).

• Cualquier variante en competición contra otro equipo.
– Los jugadores y balones estarán colocados a 3 m de los obstáculos.
– La separación entre obstáculos será de 3 m.

Aspectos a observar y corregir:

– Superar correctamente el obstáculo sin tirarlo, según la forma determinada.
– Ejecución correcta de las diferentes acciones.

Manifestación del objetivo:

– La CDG es requerida en las diferentes formas de superar los obstáculos y en el salto con giro inicial.
– Si el nivel de coordinación de los movimientos propuestos es válido, aumentar su dificultad, o realizarlos en forma de competición contra otro equipo.

COORDINACIÓN DINÁMICA ESPECIAL

– Es la cualidad coordinativa que nos permite relacionar nuestro cuerpo en el espacio, manipulando a la vez un elemento.

CONSIDERACIONES

– Ejemplos de esta cualidad pueden ser:
  • La conducción del balón con el pie que se manifiesta en el fútbol.
  • El bote del balón con la mano que se produce en el baloncesto.
– Distinguimos tres tipos de coordinación dinámica especial:
  • Coordinación Óculo-Pédica: en la que el elemento es manejado con el pie.
  • Coordinación Óculo-Manual: en la que el elemento es manejado con la mano.
  • Coordinación Óculo-Cabeza: en la que el elemento es manejado con la cabeza.
– Esta cualidad es la base para que puede existir un buen nivel de habilidad
– Cuando el objetivo de mejora sea esta cualidad, los ejercicios correctivos propuestos se realizarán al principio de la sesión (no existe fatiga).
– Esta cualidad se manifiesta en el fútbol, por ejemplo, en las siguientes acciones:
  • La conducción, el control del balón, etc. ....Óculo-Pédica
  • El despeje de puños del portero...Óculo-Manual
  • El remate, el despeje, el pase de cabeza ....Óculo-Cabeza

JUEGO DE FÚTBOL

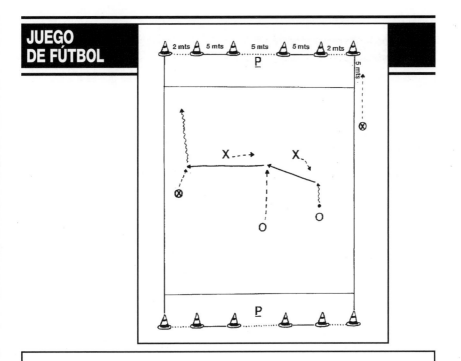

Reglamento: P.2 : P.2 + 2Ca

– El equipo que controle el balón tratará de marcar gol al equipo contrario, para lo que contará con la ayuda de los comodines.

– El gol puede marcarse:

    • De cabeza o mediante una conducción en las porterías laterales.

    • Cualquier acción en la portería central (defendida por el portero).

– Uno de los comodines jugará en el interior del campo, mientras que el otro lo hará en una banda. (Cambiarlo de banda.)

– El comodín de la banda sólo puede recibir el balón en la zona de 5 m, desde donde deberá pasar sin que los defensas puedan arrebatarle el balón.

– Los comodines alternarán sus posiciones.

– Las 3 parejas deben realizar el papel del comodín, resultando vencedora la que haya encajado menos goles.

Aspectos a observar y corregir:

– Fluidez en el transporte del balón.
– Precisión a la hora de contactar con el balón en las acciones en que se maneje con pies, manos o cabeza.

Manifestación del objetivo:

– La reglamentación desarrollará la Coordinación Dinámica Especial (CDE), al provocar la aparición de acciones como:
  • controles   • conducciones   • pases   • tiros   • centros
  • paradas   •remates de cabeza   • despeje de cabeza   • despeje de puños

JUEGO CORRECTIVO

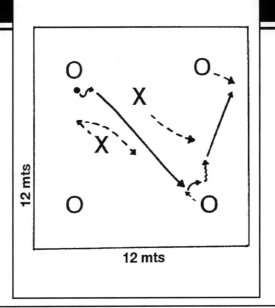

12 mts

12 mts

Reglamento:

- Los jugadores atacantes deberán mantener la posesión del balón durante 3-4 minutos
- Los defensas tratarán de recuperarlo.
- Las 3 parejas deben defender, resultando vencedora aquella que haya recuperado más balones.
- Si un defensa recupera el balón, deberá tratar de mantener su posesión con el fin de que transcurra el tiempo.

Aspectos a observar y corregir:

- Fluidez y precisión en el momento de contactar con el balón en los movimientos de la CDE (conducciones, pases, controles, regates, etc.).

Manifestación del objetivo:

- El requerimiento de las acciones descritas comporta un desarrollo de la CDE, siempre que la dificultad sea adecuada.
- Se manifestará la coordinación óculo-pédica.

EJERCICIO CORRECTIVO

Reglamento:

– Los jugadores n° 1 de cada equipo iniciarán una conducción en slalom tratando de llegar al punto de salida antes que el contrario.
– En ese momento detendrán el balón entre los conos para que inicien el recorrido sus compañeros n° 2. Así sucesivamente hasta que todos realicen el recorrido.
– Resultará vencedor el equipo que antes finalice el recorrido.
– Formar equipos con un nivel de habilidad similar.

Aspectos a observar y corregir:

– Que no se pierda el control del balón a cada contacto.
– Elección ajustada de la velocidad en relación al nivel de habilidad de cada alumno.

Manifestación del objetivo:

– La CDE es requerida al realizar la conducción. Además, mientras conduce el alumno observará la velocidad y situación del contrario para aumentar (si va por detrás de él) o disminuir (si va por delante) el ritmo de su acción.
– Se manifestará la coordinación óculo-pédica.

COORDINACIÓN ESPACIO-TEMPORAL

– Es la cualidad que permite relacionar las capacidades perceptivas del espacio y el tiempo.

CONSIDERACIONES

– *Percepción espacial:* capacidad de percibir correctamente las dimensiones del espacio.
– *Percepción temporal:* capacidad de "calcular" correctamente el tiempo que va a transcurrir entre una situación y otra inmediata.
– Deberemos distinguir tres aspectos de esta cualidad:
  • Distancias
    Por ejemplo: Es necesario percibir adecuadamente la distancia a la que se encuentra un compañero para realizar un pase eficaz
  • Trayectorias
    Por ejemplo: Para hacerse con un balón que viene raso, botando o en parábola, debemos analizar y distinguir cada una de esas trayectorias.
  • Visión periférica
    Es la capacidad de percibir ("ver") el espacio que no queda en el centro de nuestra visión.
    Por ejemplo: Nos permite "ver" compañeros situados relativamente alejados, los espacios creados en otra zona, adversarios que se nos acercan "por sorpresa", etc.
– La coordinación espacio-temporal tiene una gran importancia en el fútbol, ya que toda la actividad realizada implica cálculos de espacio y tiempo muy rápidos y continuados debiendo ser de gran precisión.

JUEGO DE FÚTBOL

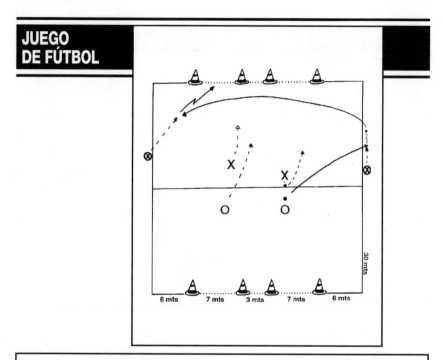

Reglamento: 2 : 2 + 2Ca

– El equipo poseedor del balón tratará de marcar gol:
  • Mediante una conducción del balón a través de la portería central
  • Rematando un balón aéreo en cualquiera de las 3 porterías.
– Para ello contara con la colaboración de los 2 comodines, a quien los defensas no les podrán arrebatar el balón.
– El comodín jugará con sus compañeros mediante un centro o un pase.
– Cuando un comodín centre, el otro podrá entrar a rematar, jugando como cualquier otro hasta que su equipo no pierda el balón.

Aspectos a observar y corregir:

– Que los jugadores, al intentar rematar, despejar, controlar, etc. contacten con el balón. (No tendremos en cuenta el nivel de eficacia técnica de la acción.)

Manifestación del objetivo:

– En los centros (remate de cabeza, despeje, remate de volea, control, etc.), y en los pases (control libre, de oposición, desvío, etc.), la Coordinación espacio-temporal será fuertemente requerida.

JUEGO CORRECTIVO

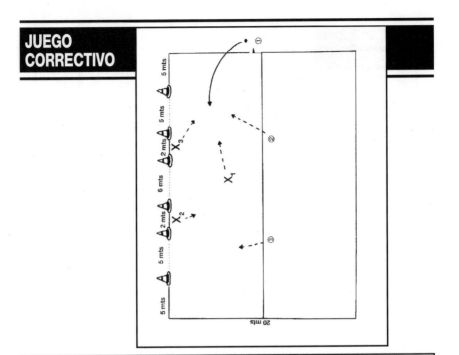

Reglamento: 3:3

– El atacante -1- centrará desde la señalización, y los atacantes –2– y –3– intentarán rematar. Estos últimos no podrán entrar en la zona de portería hasta que –1– no inicie la carrera para realizar el centro.

– El defensa X_1 inicia la acción dentro de la zona de portería.

– Los defensas X_2 y X_3 no abandonarán su colocación hasta que se haya ejecutado el centro.

– El objetivo del equipo atacante será marcar gol en cualquiera de las tres porterías mediante una conducción o rematando un balón aéreo.

– Los defensas tratarán de evitarlo.

– En el momento que el atacante –1– efectúe el centro podrá entrar en el terreno para ayudar a sus compañeros.

Aspectos a observar y corregir:

– Precisión a la hora de intentar contactar con el balón para realizar cualquier acción técnica.

Manifestación del objetivo:

– La llegada de balones aéreos provocará acciones (remates, controles aéreos, despejes, desvíos, etc.) en las que se requiere una participación precisa de esta coordinación.

EJERCICIO CORRECTIVO

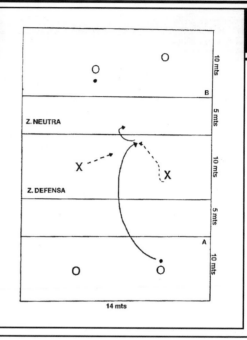

Reglamento:

– Los atacantes de la zona –A– golpearán su balón uno tras otro, intentando que bote en la zona de defensa (1 punto). El balón nunca puede tocar zona neutral.
– Los jugadores –X– tratarán de evitarlo, contactando con el balón.
– Los defensas podrán devolver el balón al primer toque hacia la zona –A–, de forma que si toca el suelo directamente, se anotarán un punto.
– Inmediatamente después se repite la acción con los atacantes de la zona –B–.
– Las 3 parejas deben realizar el papel de defensas, recibiendo 30 lanzamientos (15 de cada zona) antes de intercambiar sus funciones.
– Resultará vencedora la pareja que logra más puntos.

Aspectos a observar y corregir:

– Que cualquier jugador realice una acción para contactar con el balón (siempre que tenga claras posibilidades de hacerlo), y no lo consiga al haber calculado erróneamente.

Manifestación del objetivo:

– Todos los jugadores, pero sobre todo los defensas, para evitar gol deberán calcular dónde, y en qué momento caerá el balón para responder con un desplazamiento y un gesto que le permita contactarlo.

EQUILIBRIO

– Es la cualidad coordinativa que consiste en mantener, en diversas situaciones corporales, un mayor o menor grado de estabilidad, que nos permite la realización de diversas acciones y/o desplazamientos.

CONSIDERACIONES

– Podemos distinguir varios aspectos:
  • *Equilibrio estático:*   Cuando un gimnasta hace una vertical.
  • *Equilibrio dinámico*: Cuando un futbolista se desplaza realizando simultáneamente, por ejemplo, un salto o un giro.
– Dadas las continuas situaciones de contacto, cargas y luchas que se dan en el fútbol, y que desequilibran a los jugadores, se trata de una cualidad indispensable para ser un jugador eficaz.

JUEGO DE FÚTBOL

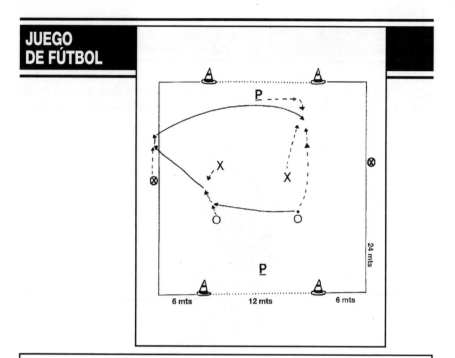

Reglamento: P.2 : P.2 + 2Ca

– El equipo poseedor del balón tratará de marcar gol:
 • Rematando un balón en fase aérea.
 • Mediante una conducción a través de la portería.
– Para ello contará con la colaboración de los comodines laterales, que no podrán entrar en el terreno de juego, y a quienes no se les podrá arrebatar el balón.
– Los comodines jugarán con sus compañeros mediante un pase o centro.
– Las 3 parejas deberán realizar el papel de comodín, venciendo la que encaje menos goles.

Aspectos a observar y corregir:

– Posición equilibrada en el salto para rematar o despejar de cabeza (centros).
– Reequilibrio corporal en la conducción cuando se vea dificultada por la carga del defensa o el portero.

Manifestación del objetivo:

– La reglamentación provocará la aparición de:
 • Saltos con lucha aérea.
 • Cargas al jugador que conduce el balón.
 Ambas acciones incidirán sobre el equilibrio dinámico.

JUEGO CORRECTIVO

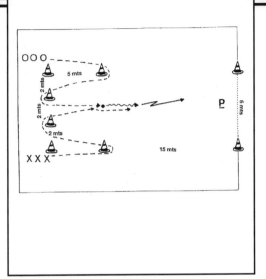

Reglamento:

- A la señal, el primer jugador de cada equipo iniciará el recorrido marcado por los conos, con la intención de llegar antes que el contrario al balón.
- El jugador que alcance el balón intentará marcar gol, mientras que el otro hará de defensa, intentándolo evitar.
- El portero no podrá salir hasta que el atacante toque por primera vez el balón.
- Resultará vencedor el equipo que sus jugadores hayan obtenido más goles tras haber jugado todos 2 veces desde cada lado.

Aspectos a observar y corregir:

- Fuerte desequilibrio en la lucha por el balón que le impida al jugador intentar evitar el tiro del atacante.

Manifestación del objetivo:

- La motivación por lograr gol provocará que, tras superar el último cono, ambos jugadores se cargarán de forma intensa, debiendo ser capaces de mantener una posición equilibrada, para poder optar a marcar gol, o cuando menos intentar evitarlo.

EJERCICIO CORRECTIVO

Reglamento:

– El jugador –a– iniciará una carrera para efectuar un salto sobre un mini-tramp, trampolín o similar. Cuando esté en fase aérea deberá realizar un giro completo alrededor del eje longitudinal.

– El jugador –b– en el momento en que –a– realiza la batida le lanzará un balón a diferentes alturas (cabeza, pie, pecho, etc.).

– El jugador –a–, tras realizar el giro, debe contactar con el balón devolviéndolo hacia –b–, cayendo de pie de forma totalmente equilibrada.

– Se puede realizar este trabajo realizando diversos tipos de giros y figuras acrobáticas.

Aspectos a observar y corregir:

– Que el jugador –a– pierda de vista el balón el menor tiempo posible.
– Mantener el tronco erguido durante la batida y el giro.
– Colocación equilibrada de los pies en la caída.

Manifestación del objetivo:

– El grado de equilibrio necesario para realizar un giro completo es relativamente simple, aunque en este caso, la caída equilibrada se dificulta por la aparición del balón que, momentáneamente, desequilibrará la posición corporal.

ACROBACIA PARA EL PORTERO

– Es la manifestación de diversos movimientos y desplazamientos de la Coordinación Dinámica General, aplicados a la actividad específica del portero.

CONSIDERACIONES

– Se trata de realizar aisladamente o en combinación desplazamientos, saltos, caídas, giros, apoyos, etc, que el portero, durante la actividad competitiva manifiesta, al menos de forma similar.
– Es importante la presencia del balón (sólo al final del ejercicio), como elemento de referencia y motivación para el portero.

JUEGO DE FÚTBOL

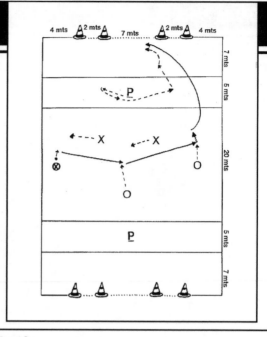

Reglamento: P.2 : P.2 + 1Ca
– El equipo que controle el balón tratará de marcar gol al contrario. Para ello contará con la ayuda del comodín.
– Los jugadores desarrollarán su juego en la zona de 20 x 19 m, a excepción de los porteros, que lo harán en su zona de 5 m.
– El portero sólo podrá entrar en la zona de 7 m cuando el contrario realice un tiro.
– Se puede marcar gol:
  • En las porterías laterales
  • En la portería central.
  En cualquier caso se debe tirar desde fuera de la zona del portero. Si el portero rechaza un balón, y sólo en esa circunstancia, se podrá marcar desde dentro de dicha zona.

Aspectos a observar y corregir:
– Aspectos coordinativos de las acciones acrobáticas realizadas (saltos, caídas, estiradas, etc.).

Manifestación del objetivo:
– La Reglamentación provocará la aparición de balones con trayectorias parabólicas por encima del portero sobre la portería central (que implicará saltos, estiradas y caídas hacia atrás), y tiros esquinados a las porterías laterales (que obligarán al portero a realizar saltos, estiradas y caídas laterales).

JUEGO CORRECTIVO

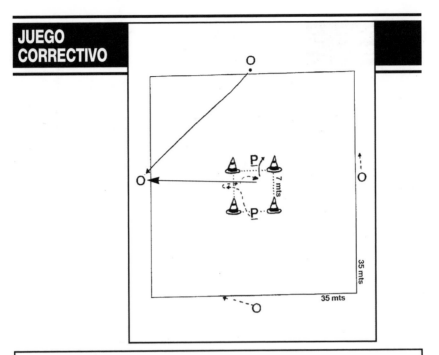

Reglamento: P.P : 4

– Los jugadores atacantes tratarán de marcar gol en cualquiera de las 4 porterías de dos formas:
 • Que el balón penetre en la portería situada en frente del jugador que realice el tiro (a una altura máxima como la del portero).
 • Que el balón toque el interior del cuadrado mediante un golpeo en parábola o alto.
– Sólo podrá detener el balón el portero sobre el que se ha realizado el tiro
– Los atacantes podrán pasarse el balón (un máximo de 4 pases). Sólo dispondrán de 3-4 toques para pasar o tirar.
– Ante los pases de los atacantes los porteros deberán modificar su colocación.
– Se realizarán 20 tiros. Si de ellos se consigue más de 10 goles, resultarán vencedores los atacantes, y viceversa.

Aspectos a observar y corregir:

– Rapidez de ejecución
– Velocidad de reacción
– Correcta percepción espacio-tiempo

Manifestación del objetivo:

– La reglamentación provocará la aparición de balones con trayectorias parabólicas o tiros esquinados que obligarán al portero a realizar diversas acciones de acrobacia.

EJERCICIO CORRECTIVO

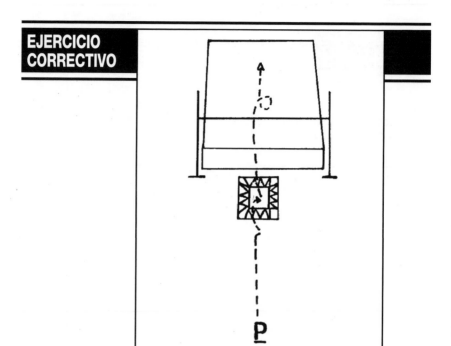

Reglamento:

– El portero deberá superar el listón utilizando diversas formas de salto:
  • Estilo Fosbury de salto de altura (de espaldas al listón).
  • Estilo Rodillo ventral.
  • Salto lateral en estirada
  • Con voltereta tras superar el listón.
  • Con pies juntos (utilizar mini-tramps y altura más elevada).

Aspectos a observar y corregir:

– Correcta ejecución de la batida.
– Correcta colocación del cuerpo durante la fase aérea.
– Correcta ejecución de la caída.

Manifestación del objetivo:

– La correcta realización de este ejercicio y sus múltiples variantes, otorgan al portero una gran sensación de confianza y seguridad en las acciones en que su cuerpo se encuentre suspendido en el aire.

DESARROLLO DE LAS CUALIDADES COORDINATIVAS DE FORMA RELACIONADA

– No se trata de una cualidad, sino de una forma de trabajo que pretende desarrollar las cualidades coordinativas de forma relacionada, involucrando la participación de los mecanismos de percepción y decisión.

CONSIDERACIONES

– Los juegos tradicionales son una excelente forma para desarrollar estas cualidades conjuntamente, dado que además de requerir la participación de los mecanismos de percepción y decisión, implican la utilización de conceptos tácticos básicos generales (no específicos del fútbol), como son las fintas, la protección del balón, etc.
– En el fútbol, como en casi cualquier actividad, las cualidades coordinativas se manifiestan de forma relacionada.
Un jugador controla el balón (coordinación espacio-temporal) mientras va en carrera con una orientación y colocación de su cuerpo determinadas (coordinación dinámica general), para realizar una conducción (coordinación dinámica especial óculo-pédica).
En toda esta "jugada", el cálculo de espacio y tiempo de los que dispone el jugador para ejecutarla es constante.

TRABAJO CORRECTIVO

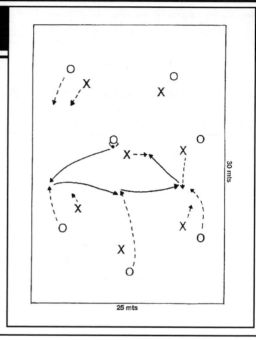

Reglamento:

– El grupo de jugadores se dividirán en dos equipos, compuesto cada uno por un máximo de 10 jugadores.

– El equipo poseedor del balón tratará de realizar 10 pases seguidos con las manos, sin que el balón caiga al suelo o el contrario lo intercepte. 10 pases significarán un punto para el equipo.

– El balón debe jugarse con las manos, y no se le puede arrebatar al poseedor.

– El equipo que defiende sólo lo recuperará si lo intercepta, o cuando caiga al suelo.

– No se puede correr con el balón en las manos.

Aspectos a observar y corregir:

– Un jugador que intenta coger un balón que va dirigido hacia él, y no es capaz de sujetarlo (debe ocurrir varias veces para evaluar como deficiente su coordinación espacio temporal o su coordinación óculo-manual).

– Un jugador que intenta pasar a un compañero y lanza un pase con una fuerza exagerada en relación a la distancia que debe recorrer el balón.

– Correcta ejecución de apoyos y desmarques.

Manifestación del objetivo:

– En este tipo de juegos se ven requeridas conjuntamente la coordinación espacio-temporal (percepción de distancias, trayectorias, velocidades, etc.), la coordinación óculo-manual, la coordinación dinámica general (desplazamientos, saltos, caídas, etc.) y el equilibrio dinámico (luchas aéreas para hacerse con el balón).

Además se manifiesta la velocidad de reacción, la visión periférica, y una primera familiarización con conceptos tácticos como son el apoyo, las fintas o el desmarque.

TRABAJO CORRECTIVO

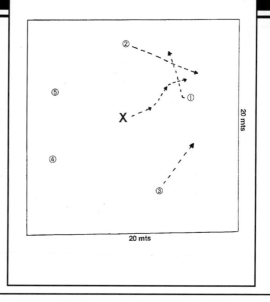

20 mts

20 mts

Reglamento:

- El jugador X intentará "pillar" a un jugador concreto (por ejemplo O_1).
- Si durante su persecución otro jugador (O_2) se cruza entre él y O_1, el perseguidor X deberá obligatoriamente pasar a perseguir a O_2.
- Cada jugador que se cruza y escapa del perseguidor se anota 1 punto.
- Cuando un jugador es tocado pasa a ser perseguidor.

Aspectos a observar y corregir:

- En el caso de que un jugador al cruzarse, sea tocado repetidamente por el perseguidor.

Manifestación del objetivo:

- Dados los desplazamientos, cálculo de velocidades, distancias y trayectorias que requiere el juego, éste implica entre otras cualidades la coordinación dinámica general (desplazamientos, cambios de dirección, etc.) la coordinación espacio-temporal, y la familiarización con conceptos tácticos básicos (fintas, marcaje individual, presión individual, creación de espacios, etc.).

EJERCICIO CORRECTIVO

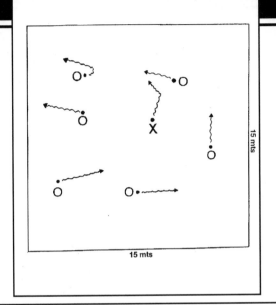

Reglamento:
– Cada jugador dispondrá de un balón que deberá conducir con el pie durante el desarrollo del juego.
– El jugador X tratará de tocar con su mano la espalda de cualquier jugador, sin perder el control del balón durante la conducción.
– Si un jugador O es tocado, o pierde el control del balón, pasará a ocupar el papel de perseguidor.

Aspectos a observar y corregir:
– Incapacidad de un jugador para dar al balón una dirección estable en la conducción.

Manifestación del objetivo:
– Dada la reglamentación se requieren simultáneamente la coordinación dinámica especial, visión periférica, etc., produciéndose una familiarización con aspectos tácticos.

DESARROLLO DE LAS CUALIDADES COORDINATIVAS CON FORMAS APLICADAS AL FÚTBOL

– No se trata de una cualidad, sino de una forma de trabajo que pretende desarrollar las cualidades coordinativas bajo situaciones de juego similares o idénticas a las planteadas por el fútbol.

CONSIDERACIONES

– Se trata de juegos competitivos entre 2 equipos en los que la reglamentación provoca la aparición constante de situaciones que inciden en una o varias cualidades coordinativas.
– Por ejemplo un Juego de Fútbol en el que se provoquen continuas situaciones de juego de cabeza, incidirá en el desarrollo del equilibrio dinámico.
– Son una excelente forma para desarrollar estas cualidades, ya que se requiere la participación de los mecanismos de percepción y decisión, juntamente con la utilización de conceptos tácticos específicos del fútbol.

JUEGO DE FÚTBOL

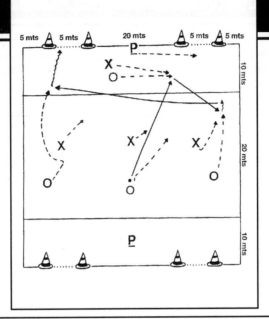

Reglamento: P.4 : P.4

– Desarrollo de un partido normal, con la variante de que hay dos porterías donde cada equipo puede marcar gol.

Aspectos a observar y corregir:

– Mantener el juego por un lado del campo durante excesivo tiempo.
– Percepción de las situaciones de juego creadas en el lado contrario en el que en esos momentos se halla el balón.

Manifestación del objetivo:

– Al orientar el equipo atacante su juego hacia una portería, se producirá un desplazamiento de la defensa hacia ese lado.
  En ese momento se deben producir espacios y movimientos en el lado contrario, que para ser aprovechados deben ser "vistos" tanto por el poseedor del balón como por otros compañeros. (Visión periférica.)

DESARROLLO DE LAS CUALIDADES COORDINATIVAS CON FORMAS APLICADAS A LA HABILIDAD

– Se trata de una forma de desarrollar las cualidades coordinativas, realizando acciones de habilidad del fútbol, con un nivel de complejidad mayor al que requiere la propia habilidad.

CONSIDERACIONES

– Por ejemplo:
  • Mientras hacemos toques de balón, tras realizar un giro completo, volveremos a contactar con el balón sin que caiga al suelo.
  • Realizar, inmediatamente después de hacer una voltereta adelante, cualquier acción técnica (remate de cabeza, de volea, etc.).
– Esta forma de trabajo guarda una gran relación con las diferentes circunstancias en las que se puede encontrar un jugador en el momento en que deba entrar en contacto con el balón.
  Un jugador tras salir desequilibrado de la lucha con una contrario, debe tirar a portería, controlar el balón pasado por un compañero, etc.
  Así, el futbolista debe experimentar estas acciones de habilidad en circunstancias diversas y de mayor dificultad que las planteadas por la propia acción.

EJERCICIO CORRECTIVO

Reglamento:

– Cada jugador intentará mantener el control del balón sin que caiga al suelo, realizando toques.
– Mientras continúa la realización de toques se efectuará un golpeo en sentido vertical. Entre ese momento y el instante de tomar de nuevo contacto con el balón, el jugador deberá realizar diversos movimientos:
  • Sentarse en el suelo y reincorporarse.
  • Dar un giro completo estando de pie.
  • Realizar una voltereta.
  • Etc.

Aspectos a observar y corregir:

– Correcto cálculo espacio-temporal.

⇨

– Perder de vista el balón durante el menor tiempo posible.
– Rápida y correcta ejecución del movimiento intermedio.

Manifestación del objetivo:

– Los jugadores dispondrán de un menor tiempo para calcular dónde y en qué momento deben recibir el balón tras realizar el movimiento intermedio, por lo que su ejecución tendrá una mayor dificultad.

EJERCICIO CORRECTIVO

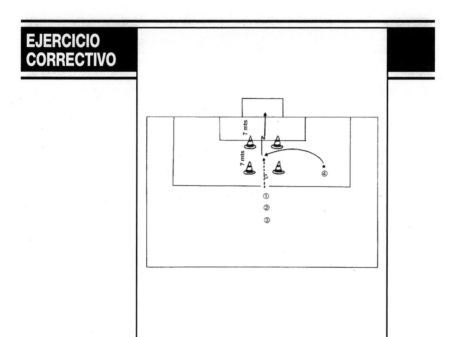

Reglamento:

– El jugador –1– realizará una voltereta adelante, momento en el que su compañero –4– efectuará un centro que debe alcanzar el cuadrado de conos.
– El jugador –1– se incorporará lo más rápidamente posible para rematar el balón.
– –1– podrá realizar un máximo de 2 toques al balón (sin que bote) antes de rematar.

Aspectos a observar y corregir:

– Correcta ejecución de la voltereta.
– Perder de vista el balón durante el menor tiempo posible.
– "Atacar" el balón tras reincorporarse.

Manifestación del objetivo:

– Los jugadores dispondrán de menos tiempo para "ver" la llegada del balón, por lo que tendrán que reaccionar mucho más deprisa de lo que resulta habitual en estas acciones.

VELOCIDAD DE REACCIÓN

– Es un aspecto de la cualidad de la velocidad que nos permite estar dispuestos a actuar lo más rápidamente posible, tras haber percibido algún estímulo o señal.

CONSIDERACIONES

– El ejemplo más claro de esta cualidad es el velocista de 100 m, que debe "ordenar" la activación de sus músculos para iniciar la carrera, tras oír el pistoletazo de salida.
– Inciden de forma importante en esta cualidad factores genéticos del sistema nervioso del individuo, factores de concentración, y en los deportes colectivos aspectos técnico-tácticos (situaciones de juego reconocidas por el jugador que son "las señales" a las cuales debe reaccionar).
– Por ejemplo, el delantero que observa que la defensa lo intenta dejar en fuera de juego, debe reaccionar rápidamente para iniciar un desplazamiento hacia su campo que le permita evitar esa situación antirreglamentaria.
– Dada su marcada dependencia de la velocidad de transmisión del estímulo nervioso que tiene cada individuo, es importante incidir en su mejora antes de los 12 años. Pasada esta edad, el sistema nervioso ha finalizado su proceso de maduración, y ya no podremos mejorar este aspecto.

JUEGO CORRECTIVO

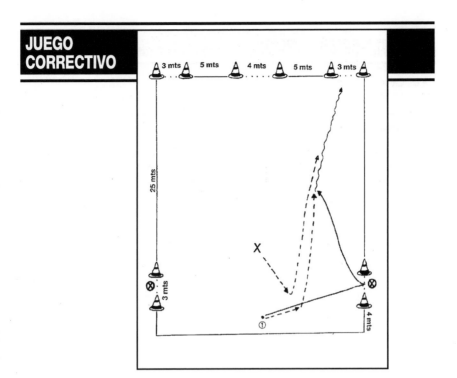

Reglamento: 1 : 1 + 2Ca

– El jugador –1– iniciará el juego sobre uno de los comodines laterales. Su objetivo será marcar gol.

– Para ello podrá penetrar con balón controlado en:

• una de las 3 porterías libres

• en la portería lateral sobre la que haya dirigido el último pase (deberá correr hacia ella en el momento del pase, sin utilizar fintas ni cambios de dirección).

– El jugador –1– puede repetir pases con los comodines hasta que encuentre el momento adecuado para dirigirse a una portería lateral o efectuar un desmarque de ruptura hacia una de las 3 porterías libres.

– El jugador –X– tratará de evitar el gol reaccionando rápidamente cuando –1– inicie el desmarque, o se acerque velozmente hacia una portería lateral.

– Cuando se logre gol o el balón salga de los límites del campo, los comodines cambiarán su posición con –X– y –1–.

⇨

Aspectos a observar y corregir:

– Reconocimiento de las "señales" a las que debe reaccionar en el marcaje al hombre.
– Utilización de fuertes cambios de ritmo y de dirección.

Manifestación del objetivo:

– El defensa –X– deberá manifestar una óptima velocidad de reacción para evitar el gol de –1–, por lo que esta cualidad será requerida a su máxima intensidad, con una forma de trabajo aplicada al fútbol (marcaje al hombre).

EJERCICIO CORRECTIVO

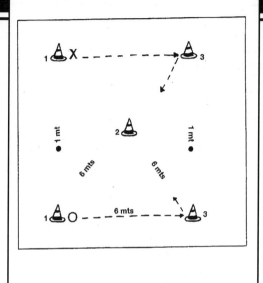

Reglamento:

– El jugador –X– iniciará un recorrido, sin utilizar fintas, en el que debe tocar los 3 conos que tiene en su campo.

– Su carrera se dirigirá hacia el cono que él decida (por ejemplo, el n° 3).

– En ese momento el jugador –O– deberá dirigirse igualmente a su cono colocado en la misma posición del que ha escogido –X– (el n° 3).

– Alcanzado ese cono, y sin detenerse, –X– decidirá cuál es el 2° cono a tocar debiendo reaccionar –O– para dirigirse a su cono.

– El recorrido finalizará cuando, tras haber tocado ambos jugadores todos sus conos, uno de los 2 alcance uno de los balones.

– El jugador –X– al tocar su último cono se habrá dirigido hacia uno de los balones, siendo éste donde se debe finalizar el recorrido.

– Vencerá el jugador que antes alcance el balón.

Aspectos a observar y corregir:

– No perder de vista (o al menos durante el menor tiempo posible) al jugador –X–.

– Correcto y rápido frenado (deceleración) de la carrera.

– Correcta y explosiva salida tras tocar cada cono.

VELOCIDAD DE EJECUCIÓN

– Es un aspecto de la cualidad de la velocidad que nos permite realizar movimientos en el menor tiempo posible.

CONSIDERACIONES

– Podemos distinguir 2 aspectos:
  - *Velocidad de Ejecución Gestual:* la velocidad se aplica a la realización de un solo gesto. Por ejemplo, un boxeador cuando lanza un golpe, o un futbolista en el momento de realizar una entrada.
  - *Velocidad de Ejecución de movimientos:* La velocidad se aplica a la realización de varios movimientos seguidos. Por ejemplo, la capacidad de aceleración del jugador de fútbol depende de la frecuencia de zancada en los desplazamientos.
– Si observamos el tipo de desplazamientos a máxima intensidad que realiza el futbolista más frecuentemente, observaremos que las distancias recorridas oscilan entre 5 a 10 m (cuando marca a un contrario, cuando se desmarca, etc). Para "vencer" en este tipo de desplazamientos es necesario disponer de un altísima frecuencia.
– Si esta frecuencia la aplicamos con cambios de dirección, saltos, giros, etc., (acciones de Coord. Dinámica General), estaremos desarrollando la agilidad.
– El trabajo de esta cualidad debe realizarse con la máxima intensidad (100%), por lo que debe plantearse al principio de la sesión, tras un excelente calentamiento, debiéndo transcurrir entre las repeticiones el tiempo suficiente para que exista una recuperación total (hasta 3 m).
– Es importante desarrollar esta cualidad con estímulos similares a los que plantea la competición (visuales: balón que cae, compañero que inicia un desplazamiento, etc.).

JUEGO CORRECTIVO

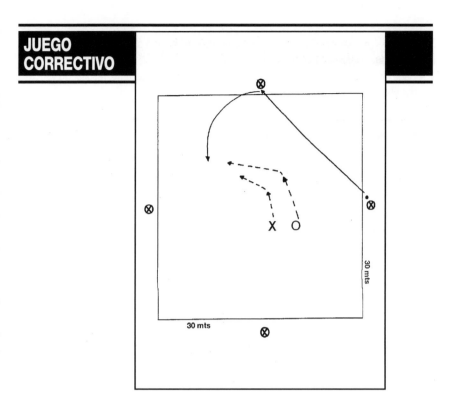

Reglamento: 1:1 + 4Ca

– Los comodines se pasarán el balón entre ellos (estarán situados fuera del terreno).

– En cualquier momento introducirán el balón en el terreno, sin dirigirlo ni a –X– ni a –O–.

– El jugador –O– tendrá el papel de atacante y –X– de defensor.

– Para marcar gol –O– deberá hacerse con el balón y conducirlo a través de la línea opuesta a la que se hallaba más próximo en el momento de recibirlo.

– El jugador –X– obtendrá un gol si no permite el control de –O–, o realiza un control de oposición que finalice en la conducción del balón a través de cualquier línea del campo señalizado.

– La acción finalizará con:

• gol del atacante –O–

• gol del defensa –X–

• balón fuera (no se anotará el tanto ninguno de los 2).

⇨

– Cada pareja realizará 2 acciones seguidas, intercambiando sus puestos después con una de las parejas comodín.

– Cada jugador realizará 6 acciones como defensa y 6 como atacante, resultando vencedor el que más goles obtenga.

Aspectos a observar y corregir:

– Máxima intensidad en la ejecución. El defensa –X– tratará de presionar al máximo a –O–. –O– intentará realizar desmarques muy rápidos para recibir el balón con la mayor ventaja posible.

Manifestación del objetivo:

– Se manifiestan desplazamientos de máxima intensidad de dimensiones muy reducidas, con continuas fases de aceleración y deceleración y cambios de dirección. (Desarrollo de la frecuencia.)

EJERCICIO CORRECTIVO

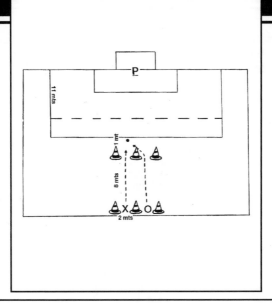

Reglamento:

– Los jugadores –X– y –O– tratarán de marcar gol. Ambos jugadores estarán en el punto de salida colocados con pies a la misma altura.

– La acción se iniciará con la salida del jugador –O–, sin fintas ni señal previa, en el momento que él decida.

– –X– reaccionará rápidamente e intentará hacerse con el balón que tiene enfrente antes de que llegue –O–.

– El jugador que alcance el balón primero tratará de marcar gol sin entrar en el área de 11 m, mientras que el otro lo intentará evitar.

– En la próxima jugada la acción será iniciada por –X–.

Aspectos a observar y corregir:

– Realización de los pasos de carrera muy cortos y lo más rápidamente posible.

Manifestación del objetivo:

– La lucha por el balón (único momento donde hay oposición) no se considera ya parte del objetivo, sino que es un elemento de motivación para lograr el 100% de intensidad.

VELOCIDAD DE DESPLAZAMIENTO

– Es la manifestación de la velocidad que nos permite trasladarnos de un lugar a otro en el mínimo tiempo posible.

CONSIDERACIONES

– En el futbolista la velocidad de desplazamiento viene requerida en distancias de 20 a 40 m, por lo que carece de sentido plantear distancias muy superiores de trabajo (80-100 m) en el desarrollo de esta cualidad. Es muy difícil encontrar desplazamientos de estas dimensiones en una competición.
– El trabajo de esta cualidad debe realizarse con la máxima intensidad (100%), por lo que, además de realizarla al principio de la sesión tras un metódico calentamiento, debe existir entre las repeticiones el tiempo suficiente para lograr la recuperación total (3 minutos).
– Es importante desarrollar esta cualidad con estímulos similares a los de la competición.
– El desarrollo de esta cualidad tiene uno de sus fundamentos en la mejora de la potencia muscular del tren inferior.

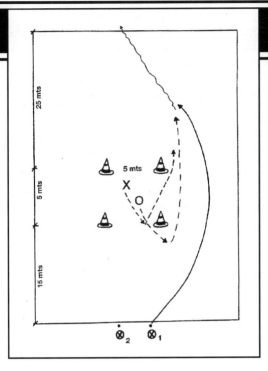

Reglamento: 1 : 1 + 2Ca

– El jugador –O– tratará de recibir el balón desmarcándose de –X–.
– Para iniciar la jugada ambos deberán estar en el interior del cuadrado.
– Cada jugada constará de un solo pase.
– Hasta que el pase no se produzca –O– y –X– mantendrán una continua movilidad (–O– para desmarcarse y –X– para marcarlo).
– Cada comodín efectuará 3 pases. El orden a seguir será establecido por los comodines, siendo desconocido por X y O.
– Los pases estarán totalmente determinados. El comodín que deba realizar el pase, escogerá uno de los tres posibles antes de iniciarse la jugada, no pudiéndolo cambiar durante el transcurso de la misma.
– Existiran tres posibilidades de pase:
  • Pase corto
  • Pase lateral
  • Pase en profundidad

⇨

– El comodín realizará los 3 pases sin poder repetir ninguna modalidad.

– El jugador –O– sólo debe preocuparse de desmarcarse y de hacerse con el balón vaya donde vaya el pase.

– Para marcar gol deberá llevar el balón controlado a través de:

• la línea de fondo (pase largo)

• la línea de salida (pase corto)

• Cualquiera de las dos líneas (pase lateral)

– Al finalizar cada acción se cambiará la pareja que trabaja.

– Resultará vencedor el jugador de la pareja que más goles haya obtenido una vez finalizados los 6 pases (1 de cada tipo).

Aspectos a observar y corregir:

– Aparición de actitudes pasivas tanto en defensa como en ataque.

Manifestación del objetivo:

– La velocidad de desplazamiento vendrá requerida bajo una forma de trabajo aplicada al fútbol.

EJERCICIO CORRECTIVO

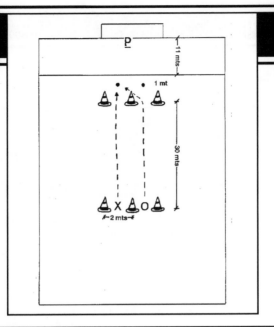

Reglamento:

– Los jugadores X y O tratarán de marcar gol. Ambos jugadores deberán encontrarse sobre la línea de salida con los pies a la misma altura.

– La acción se iniciará con la salida de –O– sin fintas ni señales, en el momento que él decida.

– El defensa deberá reaccionar e intentar hacerse con el balón antes que el atacante –O–.

– El jugador que llegue primero tratará de marcar gol antes de entrar en el área de 11 m, mientras el otro lo intentará evitar.

– Tras la carrera actuarán unas 5 o 6 parejas más (con espacio de tiempo entre cada una) (3 minutos de descanso).

– Cada jugador correrá unas 8 veces, alternando la salida de uno y otro lado.

– Resultará vencedor el jugador que más goles obtenga.

Aspectos a observar y corregir:

– Técnica de carrera.

Manifestación del objetivo:

– La lucha por el balón (único momento en el que habrá oposición), no se considera parte del trabajo, sino que es un elemento de motivación que facilita alcanzar una intensidad del 100%.

RESISTENCIA

– Es la cualidad que permite soportar el cansancio.

CONSIDERACIONES

– Dadas las edades a las que nos referimos incidiremos en la resistencia aeróbica ("larga duración").
– Los atletas de fondo son un claro ejemplo de esta cualidad.
– El futbolista, aunque con diferencias sobre los deportistas citados anteriormente, debe tener un buen nivel de resistencia aeróbica.
– A diferencia de los atletas, en el fútbol no se realiza una carrera a un ritmo más o menos estable, aspecto que deberemos tener en cuenta cuando el objetivo sea desarrollar la resistencia específica.
– La resistencia, si se trabaja con carrera continua (general), o mediante juegos (específica), debe hacerse evitando la utilización de la carrera sin ningún otro objetivo. Es conveniente enriquecer las formas de trabajo con situaciones similares a las planteadas por el fútbol, que comporten la práctica de una acción de habilidad (conducciones, pases, etc. con carrera continua) o la resolución táctica de situaciones de juego (juegos).
– Esta cualidad puede ser trabajada al final de la sesión.
– La carrera continua muy lenta puede ser utilizada como recuperación tras la competición.

JUEGO DE FÚTBOL

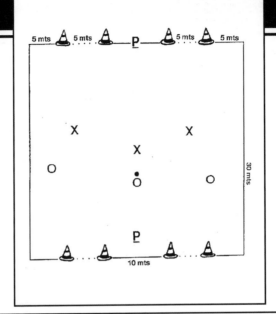

Reglamento: P.3 : P.3

– Desarrollo normal de un partido, pudiéndose obtener los goles en cualquiera de las 2 porterías contrarias:
  • Mediante cualquier acción si la portería está defendida por el portero.
  • Mediante una conducción a través de la línea de meta cuando no esté el portero.
– Se sancionará con falta al jugador que esté totalmente detenido mientras el balón esté en juego.
– Vencerá el equipo que logre un mayor número de goles.

Aspectos a observar y corregir:

– Que los jugadores no se detengan frecuentemente.
– Aparición de errores técnicos motivados por la fatiga.

Manifestación del objetivo:

– La continuidad en el esfuerzo que implica la reglamentación permitirá desarrollar esta cualidad.

JUEGO CORRECTIVO

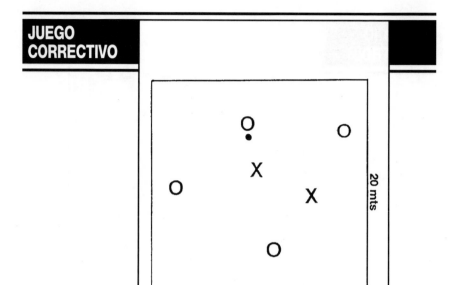

Reglamento: 4 : 2

– Los jugadores atacantes (–O–) tratarán de realizar el mayor número de pases posibles durante 4 minutos aproximadamente.
– Los defensas –X– tratarán de interceptarlos.
– Si un defensa intercepta el balón, deberá detenerlo con la planta del pie para que los atacantes reinicien rápidamente el juego.
– Al finalizar el tiempo, los defensas cambiarán su posición con 2 de los jugadores atacantes. El juego no finalizará hasta que las 3 parejas hayan defendido.
– Vencerá la pareja que haya "encajado" menos pases.
– Los cambios de pareja deben realizarse sin ningún tipo de interrupción.
– Se debe jugar con limitación de toques (uno; máximo dos).

Aspectos a observar y corregir:

– Movilidad constante de los atacantes (apoyos).
– Actitud "agresiva" de los defensas para recuperar o interceptar el balón.

Manifestación del objetivo:

– La continuidad en el desarrollo del juego permitirá incidir sobre el desarrollo de esta cualidad.

EJERCICIO CORRECTIVO

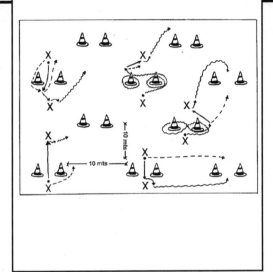

Reglamento:

– El jugador de la pareja que posea el balón realizará en una portería una de las siguientes acciones (a determinar):
  • pase raso
  • pase alto
  • conducción en "ocho"
  • conducción alrededor de los 2 conos
  • autopase
  • Toques de balón, recogiéndolo tras golpear en alto, al otro lado de la portería.
  • Etc.
– El balón pasará o será pasado al compañero para que controle, y se dirija a otra portería para realizar la misma acción. (Se desplazarán los dos jugadores.)
  Así sucesivamente hasta que cada jugador realice cuatro acciones diferentes en todas las porterías.
– Varias parejas trabajarán simultáneamente.

⇨

Aspectos a observar y corregir:

– Retraso del compañero del poseedor en llegar a la nueva portería.
– Aparición de la fatiga.

Manifestación del objetivo:

– Los continuos desplazamientos requeridos para realizar el ejercicio nos permitirán incidir en esta cualidad.
– El ejercicio además requiere de una buena visión periférica para no dirigirse a porterías ya ocupadas.

FUERZA

– Es la cualidad que permite actuar contra una resistencia (que puede ser el propio cuerpo), gracias al proceso de contracción muscular.

CONSIDERACIONES

– Entre los tipos de fuerza existentes podemos destacar:
• *Fuerza resistencia:* elevado número de repeticiones a una intensidad "media".
• *Fuerza explosiva:* reducido número de repeticiones realizado a la máxima velocidad.
– Dada la poca aplicación que tiene el trabajo de la fuerza con el juego real (a excepción del tren inferior), observaremos que es un aspecto a desarrollar de forma aislada (ejercicios correctivos).
– Anteriormente, a los 12 y 13 años, utilizaremos fundamentalmente la fuerza resistencia como elemento de desarrollo y crecimiento armónicos, incidiendo especialmente en la musculatura abdominal y dorsal para evitar la futura aparición de pubalgias (molestias y lesiones en el pubis y adductores) y de posibles desviaciones de la columna vertebral. La fuerza explosiva será requerida en ejercicios sin sobrecarga.
– En edades superiores se hace imprescindible iniciar progresivamente en el trabajo de fuerza explosiva, sin abandonar la fuerza resistencia.

Es importantísimo la realización de las flexiones abdominales con rodillas flexionadas para evitar molestias por sobrecarga en la espalda (columna). En el trabajo dorso-lumbar no realizar arqueos pronunciados de la columna (hiperextensiones).

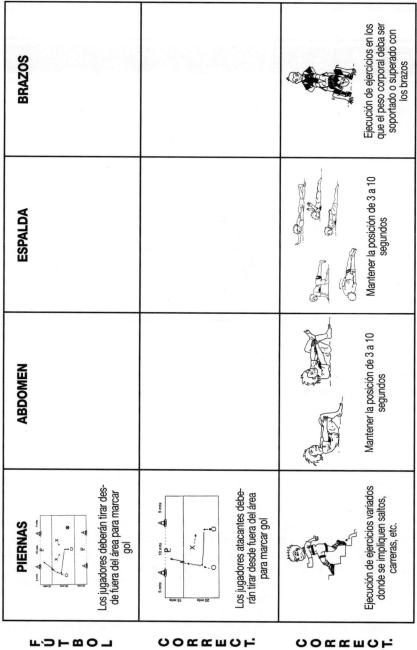

	PIERNAS	ABDOMEN	ESPALDA	BRAZOS
JUEGO DE FÚTBOL	Los jugadores deberán tirar desde fuera del área para marcar gol			
JUEGO CORRECT.	Los jugadores atacantes deberán tirar desde fuera del área para marcar gol			
EJERC. CORRECT.	Ejecución de ejercicios variados donde se impliquen saltos, carreras, etc.	Mantener la posición de 3 a 10 segundos	Mantener la posición de 3 a 10 segundos	Ejecución de ejercicios en los que el peso corporal deba ser soportado o superado con los brazos

FLEXIBILIDAD

– Es la capacidad de realizar los movimientos con la mayor amplitud posible.

CONSIDERACIONES

– Esta capacidad se desarrolla a través de los estiramientos.
– Si bien el futbolista no necesita realizar movimientos extremadamente amplios (como sería el caso de un gimnasta), la importancia de una buena flexibilidad radica en la prevención de lesiones musculares, y como recuperación del músculo fatigado.
– Los estiramientos pueden utilizarse al principio de la sesión como calentamiento (recomendable, tras 10 minutos de carrera y movilidad general), y al final de la misma para recuperar la fatiga (acortamiento muscular).
– Cuando el objetivo es el aumento de la flexibilidad plantearemos este trabajo al principio de la sesión (no existe fatiga ni acortamiento excesivo del músculo).
– Los estiramientos se realizarán manteniendo posiciones, *prohibiendo* la utilización de los rebotes.
  La posición se mantendrá de 5 segundos (recuperación) a 20-30 segundos (aumento de la flexibilidad. Un tiempo intermedio es válido para el calentamiento. (Ver otras posibilidades en el capítulo de prevención y primeros auxilios.)
– Es importante incidir en esta cualidad a partir de los 10 y 11 años de forma especial, ya que esa edad marca el inicio de la pérdida de la flexibilidad, siendo indispensable su utilización a partir de los 12 años.

EJERCICIO CORRECTIVO

Ejecución:

– Sentados en posición "paso de valla".

Aspectos a observar y corregir:

– La pierna adelantada deberá estar extendida aunque no se llegue a tocar el pie.
– Los muslos del jugador deben formar un ángulo de 90 grados.
– Notar una sensación de fuerte tensión, sin llegar nunca al dolor.

Manifestación del objetivo:

– Estiramiento de la musculatura isquiotibial. Estiramiento genérico.

EJERCICIO CORRECTIVO

Ejecución:

– El jugador apoyará el talón de su pierna adelantada en el suelo, y la punta del pie lo más elevada posible, en una valla o pared.
– Desde esa posición adelantará al máximo la posición de la cadera.

Aspectos a observar y corregir:

– Correcta colocación del talón y punta del pie.
– Adelantar la cadera y no el tronco.
– Notar una sensación de fuerte tensión, sin llegar nunca al dolor.

Manifestación del objetivo:

– Estiramiento de los músculos gemelos.

EJERCICIO CORRECTIVO

Ejecución:

– El jugador se colocará de pie, de forma que las piernas estén lo más abiertas posible.

Aspectos a observar y corregir:

– Rodillas extendidas.
– La cadera debe estar basculada hacia adelante. No "sentarse".
– Notar una sensación de fuerte tensión, sin llegar nunca al dolor.

Manifestación del objetivo:

– Estiramiento de los músculos adductores.

EJERCICIO CORRECTIVO

Ejecución:

– El jugador colocará el empeine de su pie atrasado sobre la valla, tal como indica el dibujo. El talón debe quedar alejado de la cadera.
– En esta posición se procederá a flexionar la pierna de apoyo.

Aspectos a observar y corregir:

– Flexionar la pierna de apoyo lo máximo posible.

Manifestación del objetivo:

– Estiramiento del músculo cuadríceps.

EJERCICIO CORRECTIVO

Ejecución:

– Realizar un paso exageradamente adelantado, tal como se indica en el dibujo.
– La pierna de atrás debe quedar igualmente muy atrasada.
– La cadera debe hallarse lo más próxima al suelo posible, y el tronco erguido.

Aspectos a observar y corregir:

– El pie adelantado debe quedar por delante de la rodilla.

Manifestación del objetivo:

– Estiramiento de la musculatura anterior de la cadera y el muslo.

CAPÍTULO 6

LA SESIÓN DE ENTRENAMIENTO

Consideramos la sesión de entrenamiento como la actividad más importante realizada por el alumno en la práctica deportiva, ya que es en ella, principalmente, donde se produce el aprendizaje. En relación a una sesión, distinguimos tres partes diferenciadas:

– Preparación
– Realización
– Análisis

PREPARACIÓN DE UNA SESIÓN

Para preparar una sesión, el técnico debe tener en cuenta:

1. La Planificación

La planificación es el instrumento que permite y facilita la existencia de una relación y coherencia entre los objetivos desarrollados en las sesiones efectuadas durante una temporada.

Una planificación se divide en:

– Ciclo
Dentro de la etapa de iniciación contemplamos 3 ciclos (temporadas).
Cada uno de ellos presenta diferentes objetivos según:

• La edad de los jugadores.
• Los aspectos a desarrollar de cada uno de los fundamentos (Técnica, Táctica, Prep. Física y Condición psicológica).
• Días de entrenamiento y de competición de los que disponemos.
• Distribución del tiempo de trabajo para el desarrollo de cada fundamento.

Así, la Planificación anual viene determinada por los objetivos propios del Ciclo.

– Períodos

Cada Ciclo se divide en 4 períodos:
• Período de Actualización
• Período Principal
• Período de Recuperación
• Período de Descanso

Cada período tiene una duración aproximada de 3 meses, debiéndose desarrollar en cada uno de ellos todas las acciones y conceptos propuestos en el Programa AT-1, según sus propios objetivos y los del Ciclo.

– Microciclos

Cada período contempla 10 microciclos (semanas) de trabajo.
Los restantes microciclos de cada Período los dedicaremos a:
• Recuperar las sesiones que por diversos motivos no se hayan realizado.
• Vacaciones trimestrales (Navidad y Semana Santa).
• Dar facilidades a los alumnos para preparar sus exámenes.

En cada microciclo deberemos realizar un mínimo de 3 sesiones (mínimo de 30 sesiones por trimestre), durante las cuales desarrollaremos el plan previsto para el período en el que nos encontremos.

Expondremos un ejemplo de planificación simplificada para las etapas de Iniciación y Promoción.

Dado que el trabajo se fundamentará en la utilización del método global, los objetivos serán aquellos aspectos globales del fútbol que se manifiestan durante la competición y que comprenden las situaciones y acciones básicas de este deporte:

• Recuperar el balón (y por extensión evitar gol contrario).
• Mantener la posesión del balón.
• Progresión del balón.
• Remate.
• Jugar en la zona y desde la zona.

Cada uno de estos aspectos está formado por una serie de acciones que inciden en su correcta o deficiente manifestación.

Por lo tanto, para conseguir su mejora resulta necesario analizar cuáles son las acciones técnicas, tácticas y físicas que están provocando esa deficiente ejecución.

Exponemos en el siguiente cuadro los objetivos a desarrollar en cada trimestre.

PLANIFICACIÓN TRIMESTRAL (Período) DEL ENTRENAMIENTO

			OBJETIVOS A DESARROLLAR EN EL TRIMESTRE				
				Psicológicos			Principios tácticos
	Jugador	Portero	Físicos (1 semana)	Jugador	Portero	Aspectos generales	Jugador / Portero
1ª Semana	MANTENER EL BALÓN - Control libre – Relevo – Pase – Saque – Cobertura del balón - Apoyo – Desmarque - Coord. Especial – Coord. Espacio-Temporal	PARADA	1ª Sesión Semanal Capacidades Coordinativas (C. Dinámica Gral. C. Din.	ATENCIÓN	ATENCIÓN	Una sesión a la semana / TOQUES DE BALÓN	**Jugador:** Ayudas constantes (Ofensivas y defensivas) **Portero:** Diferentes zonas de juego - remate
2ª Semana	RECUPERAR EL BALÓN - Control de Oposición - Acc. de Táctica Individual • Marcaje individual • Entrada • Carga • Anticipación • Temporización individual - Acc. Individuales de Táctica Colectiva • Marcaje al hombre • Marc. por zonas • Marc. Mixto • Cobertura defensiva • Permuta • Vigilancia defensiva • Presión individual • Trabajo en las diferentes zonas • Velocidad de reacción	BLOCAJE RECOGIDA	Espac.-Temporal, Equilibrio) / 2ª Sesión Semanal FUERZA / 3ª Sesión Semanal RESISTENCIA CAP. COORDINAT.	CONCENTRACIÓN	CONCENTRACIÓN	Una sesión a la semana GESTOS TIPO Jugador • Tackle • Lucha Aer. • Carga • Tackle con deslizamiento • Plancha	Recuperación del balón mediante un control para iniciar el ataque
3ª Semana	PROGRESIÓN - Conducción – Regate – Pared - Profundidad – Pasar o Progresar - Visión Periférica	GOLPEO – Despeje – Desvío	4ª Sesión Semanal AGILIDAD-VELOCIDAD	AGRESIV.	AGRESIV.	Portero • Estirada • Saltos • Caídas • Cargas • Entrada	**Jugador:** Velocidad en el juego **Portero:** Inicio y orientación del juego
4ª Semana	RECUPERAR EL BALÓN	LANZA-MIENTOS		AGRESIV. VOLUNTAD	VOLUNTAD	• Pantalla • Posic. Fund.	**Jugador:** Anulación-reducción de espacios **Portero:** Atención acciones y carac. de compa. y adversarios

	Jugador	Portero	Físicos (1 semana)	Psicológicos Jugador	Psicológicos Portero	Aspectos generales	Principios tácticos Jugador	Principios tácticos Portero
5ª Semana	REMATE - Tiro – Centro - Juego en zona de definición - Velocidad de ejecución	ESTIRADAS SALTOS - C. Dinámica Gral. – Acrobacia		AGRESIVIDAD VOLUNTAD	DISCIPLINA		Cambios en el ritmo de juego	Ángulos de tiro
6ª Semana	RECUPERAR EL BALÓN	SALIDAS - C. Espac. Temporal					Transición Ataque-Def. y Defensa-ataque	
7ª Semana	JUGAR EN Y DESDE LA ZONA - Superar al adversario en el 1:1 - Acciones de cobertura del balón - Amplitud – Trabajo dif. zonas - Salir de la zona • Desdoblamiento • Para recibir el balón • Creación y aprovechamiento de espacios libres • Crear superioridad numérica (2:1) • Para progresar con el balón - Percepción espacial en relación a su zona de juego	COLOC. DEFENSIVA Y ESTRATEGIA - C. Espacial en relación a su portería		DISCIPLINA	VALENTÍA		Orientación del juego y cambios de orientación y vigilancia ofensiva	Dirección y colocación de los defensas
8ª Semana	RECUPERAR EL BALÓN	APOYO EMERGENCIA COLOC. OFENSIVA - Coord. Espacial					Superior. numérica y presencia de defensas entre balón y propia portería	
9ª Semana	TEST APLICADOS AL FÚTBOL (TAF) + PARTIDO							
10ª Semana	TEST APLICADOS AL FÚTBOL (TAF) + PARTIDO							

*** En las sesiones de las semanas T.A.F. debe incluirse actividad de competición.

*** Dentro de cada microciclo (semana) el técnico establecerá las acciones fundamentales a mejorar, sean técnicas, tácticas o físicas.

– Una vez determinado el objetivo global (por ejemplo MANTENER EL BALÓN) las acciones técnicas y tácticas que inciden en este objetivo serán trabajadas específicamente en una sesión.

Así, por ejemplo, el apoyo se trabajará con los Juegos de Fútbol y los Juegos y Ejercicios Correctivos en su sesión específica; sin embargo, la acción del apoyo se presentará constantemente en cualquier juego de fútbol propuesto por el técnico, por lo que se manifestará en todas y cada una de las sesiones realizadas durante la temporada.

PROMOCIÓN

En esta etapa hay que considerar que se dispone habitualmente de 2 sesiones semanales para entrenar, y que debe existir una actividad polideportiva.

Por esta razón expondremos aún de forma más simple como distribuir los entrenamientos y los objetivos que se deben desarrollar.

Actividades para el entrenamiento

El entrenamiento estará compuesto en un:

– 50% Competición interna 4:4.
– 25% Juegos de Fútbol (1 juego específico para cada uno de los objetivos de la etapa y edad).
– 25%Alternar en cada sesión.
  • Toques de balón.
  • Circuito de habilidad.
  • Trabajo Correctivo 3:0, 3:1 y 3:2.
  • Distintos Juegos 2:1.

En el calentamiento introduciremos siempre los toques de balón y aspectos de habilidad.

2. Lesiones, Previsión de asistencia y nivel de los jugadores respecto al objetivo de trabajo

– Es necesario conocer el nivel de juego para diseñar un trabajo que presente un grado de dificultad óptimo para nuestros jugadores.
– Conocer la disponibilidad de los jugadores para asistir al entrenamiento es imprescindible para determinar el número de componentes que deberá tener cada equipo que participe en el juego.

3. El tiempo disponible en la sesión

– Debemos conocer el tiempo del que disponemos para distribuirlo de forma que se pueda desarrollar cada uno de los objetivos de la sesión.

4. Sesión de Tests y Criterios de Evaluación

En el AT-1, como en todo proceso formativo, es importante controlar la evolución del aprendizaje que están realizando los jóvenes a los que estamos enseñando.

Este control se puede obtener gracias a la ejecución de los tests.

La utilización de los tests es fundamental, ya que nos permite conocer:

– El nivel del jugador en el momento del ingreso en el centro.
– Los diferentes grados de asimilación de las enseñanzas impartidas experimentados por cada uno de los jugadores.
– Nivel del jugador al final de la temporada, etapa o proceso. (Este dato permite introducir correcciones en el trabajo con conocimiento de causa, según sean los resultados obtenidos.)

Otro elemento que aporta la utilización de tests es la posibilidad de establecer criterios objetivos sobre los niveles técnicos, tácticos, y físicos que debe presentar un jugador para adentrarse en una nueva etapa de formación (Iniciación, Tecnificación y Rendimiento).

Estos tests deben analizar y evaluar los aspectos técnicos, tácticos, físicos, médicos y psicológicos (aplicados) propios de cada etapa o edad.

Tests Físicos
- Peso.
- Talla.
- Flexibilidad.
- Agilidad.
- Velocidad (30 m).
- Fuerza abdominal (1').
- Resistencia (C. Navette).
- Potencia tren inferior (Detente vertical/Ergo jump Bosco).

Tests Médicos:
- Consumo de oxígeno.
- Porcentaje de grasa corporal.
- Espirometría.
- Podoscopia.
- Exploración
  - Cardio-respiratoria.
  - Abdominal-ganglionar.
  - Sistema nervioso.
  - Aparato locomotor.
- Cuestionario de antecedentes médicos familiares.
- Electrocardiograma.

El médico debe determinar la aptitud para la práctica deportiva del alumno, las patologías que presenta, y las prevenciones que se deben tomar.

Tests Técnicos:
- Test reglamentado de toques de balón.
- Circuito puntuable de habilidad aplicada.
- Test de Portero.

Tests Tácticos:
- 10 Juegos distintos de 2:1 (valoración de distintas acciones tácticas ofensivas y defensivas).
- Tests de Portero.

Tests Genéricos:
- Genialidad (1:2).
- Inteligencia (4:2).
- Voluntad (3:3).
- Juego Ofensivo (6:6).
- Juego Defensivo (6:6).

*** Todos estos tests están definidos y tabulados para determinar de forma precisa una valoración cuantificable para cada una de las edades (Batería de Tests aplicados al Fútbol –T.A.F–). La complejidad del tratamiento de estos tests requieren una exposición específica del tema, que no es el objetivo propio de este libro.

REALIZACIÓN DE UNA SESIÓN

Entendemos por realizar una sesión todas aquellas actividades desarrolladas por el técnico y los alumnos en relación al entrenamiento, desde que entran en el recinto deportivo hasta la salida del mismo.

Durante este tiempo el técnico deberá tener en cuenta:

– La utilización de vestimenta adecuada.
– La colocación del material necesario antes de iniciarse la sesión.
– El cuidado de los aspectos higiénicos y de comportamiento de los alumnos en los vestuarios.
– El estado médico y anímico de sus jugadores.
– Desarrollo de la actividad de campo.
– Prestar la misma atención a los diferentes grupos de trabajo.
– Ejercer un preciso control del tiempo previsto para cada actividad.

Actividad de campo

En una sesión, cada técnico utilizará las formas didácticas que crea más conveniente (Juegos de Fútbol, Juegos Correctivos y/o Ejercicios Correctivos), en relación a las necesidades planteadas por el nivel y el ciclo en el que se hallan sus jugadores.

Sin embargo, y a modo de ejemplo, expondremos lo que podría ser una sesión-tipo:

10' CALENTAMIENTO	Ejercicios con balón (habilidad), carrera y estiramientos.
5' JUEGO DÈ FÚTBOL	Conocimiento práctico de la reglamentación del juego.
10' JUEGO DE FÚTBOL	Competición.
10' + 10' TRABAJO CORRECTIVO	Juego Correctivo o Ejercicio Correctivo.
15' TRABAJO DE PORTERO	
10' JUEGO DE FÚTBOL	Competición.
20' PARTIDO (*)	Competición.
5'	Vuelta a la Calma/ Comentario de la sesión.

Durante una sesión utilizaremos el mismo Juego de Fútbol para cada grupo.

"Prestar la misma atención a diferentes grupos de trabajo"

(*) En el supuesto de que se realicen tres sesiones semanales, en dos se realizará un partido (como en la sesión-tipo), dedicando este tiempo en la tercera sesión al trabajo correctivo.

– En cada sesión dedicaremos los juegos de fútbol y el trabajo correctivo a la mejora de un aspecto técnico, táctico o físico, según la programación, pudiéndose trabajar en el mismo juego distintos objetivos técnicos, tácticos o físicos.

– Los gestos-tipo y las cualidades de fuerza y flexibilidad (cuando se trabaje) se incluirán en los apartados de Trabajo Correctivo.

ANÁLISIS DE UNA SESIÓN

El análisis posterior que debe realizarse de la sesión desarrollada resulta de gran importancia para:

– Recopilar las conclusiones y experiencias obtenidas en la sesión.
– Disponer de nuevos datos de forma que tengamos un mayor conocimiento de cada jugador.
– Diseñar la próxima sesión (errores y aciertos observados).

Observaciones

Todo lo expuesto relacionado con la sesión debe quedar anotado en una ficha, de forma que el técnico pueda:

– Consultarla durante el desarrollo del entrenamiento.
– Anotar cualquier circunstancia que ocurra durante el mismo.
– Constatar las rectificaciones realizadas en la aplicación de los juegos y ejercicios planteados.
– Analizar posteriormente la actividad realizada, concretando las conclusiones obtenidas.
– Disponer de un completo archivo del trabajo realizado, para relacionarlo con los resultados que se obtengan.

"Constatar las rectificaciones realizadas..."

CAPÍTULO 7

ETAPAS DE APLICACIÓN DEL PROGRAMA AT-1

Cuando se habla de Fútbol-Base, habitualmente se hace como si este concepto abarcara toda una etapa evolutiva, unificando, sin distinguir, las diversas características que presenta el jugador durante su proceso de formación.

Competición 7 : 7

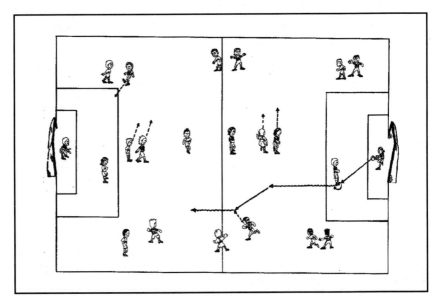

Competición 11 : 11

Este hecho lleva igualmente a no distinguir objetivos ni formas de enseñanza diferenciadas en cada una de las etapas, por lo que el término "Fútbol-Base" se contempla como un conjunto de ideas dispersas que no permiten la realización de un trabajo sistemático.

Las diferencias que deben definir cada una de las etapas vienen marcadas por las características y capacidades que el jugador manifiesta según la edad cronológica y biológica que presenta, planteándose objetivos y formas de trabajo adecuados a cada una de ellas.

OBJETIVOS ESPECÍFICOS DE CADA ETAPA Y EDAD

Desarrollaremos en este punto las etapas de Promoción e Iniciación que son las que forman el ámbito de aplicación del AT-1.

Los objetivos específicos de estas etapas están estrechamente relacionados con el tipo de competición recomendada para cada una de ellas.

Etapas	Características	Objetivos	Programa
Promoción hasta 11 años	– Creación, estabilización de patrones motrices – Necesidad de actividad pre y polideportiva	– Posibilidad de plena participac. en fútbol para cualquier niño o niña	AT - 1 LIMITADO. Con juegos de fútbol, juegos y ejerc. correctiv. estandarizados
Iniciación 12 a 14 años	– Edad óptima para iniciar el aprendizaje de un deporte específico	– Conocimiento y desarrollo de las acciones y situaciones básicas del fútbol	– AT - 1
Tecnificación 15 a 17 años	– Edad óptima para la especialización y el conoc. profundos de distintos aspectos de un deporte	– Perfeccionam. de acciones técnicas, tácticas y de capac. físicas	– AT - 2
Rendimiento 18 y 19 años	– Requerimiento de un alto nivel de eficacia en la práctica de un deporte	– Eliminar realización de acciones defic. que presenta el jugador, potenciando la utilización con las que obtiene alto rendimiento	– AT - 3

Ello es debido a que son los distintos tipos de competición los que provocan la aparición de los mismos. De esta forma el técnico debe procurar la aparición de situaciones que desarrollen estos objetivos en las sesiones de entrenamiento, mediante la utilización de juegos de fútbol, juegos correctivos y ejercicios correctivos.

Expondremos a continuación los objetivos generales de estas dos etapas, así como los objetivos técnicos y tácticos de cada edad, relacionándolos con el tipo de competición recomendado.

Objetivos generales	Etapa	Edad	Objetivos técnicos	Objetivos tácticos	Competición
– Mantener posesión del balón – Predispos. al remate – Recuper. del balón	P R O	Hasta 7 años	– Desarrollo habilidad en acciones de técnica – Portero. Habilidad con lanzam. de balón parado hacia portería	– Apoyos – Desmarques – Predispos. al remate – Entrada	4:4
– Progresión rápida del balón – Manifestac. profundidad – Objetivos de edad anterior	M O C I Ó N	8 y 9 años	– Desarrollo Habilidad Aplicada (distintas acciones encaden. sin oposic. – Acciones orientadas a progresión – Objetivos de edad anterior – Portero. idem edad anterior	– Marcaje – Definir líneas de juego – Creación espacios – Concepto táctico del poseedor (Pasar o progresar) – Objetivos edad anterior – Portero. Juego real 1:P	**fútbol de 7 jugadores**

Objetivos generales	Etapa	Edad	Objetivos técnicos	Objetivos tácticos	Competición
– Cambios orientación	P R	10 y 11 años	– Desarrollo de acciones técnicas	– Orientación y cambios de orientac.	
– Manifestac. Amplitud – Objetivos edad anter.	O M O C I Ó N		– Acciones dirigidas a cambios de orientac. – Objetivos edad anterior – Portero. Acciones 1:1.P Ídem edad anterior	– Juego en relación a la línea – Presión individual – Cobertura – Objetivos edad anter. – Portero. 1:1.P	**fútbol** **de** **9** **jugadores**

Objetivos generales	Etapa	Edad	Objetivos técnicos	Objetivos tácticos	Competición
– Actualizac. de todas las acciones técnicas y tácticas de forma general	I N I C I	12 años	– Desarrollo de todas las acciones técnicas contempladas en Programa AT - 1	– Desarrollo de todas las acciones tácticas contemp. en Programa AT - 1	**Fútbol**
– Aplicación sistemática del AT - 1	A C I Ó N		– Portero. Situaciones 2:1 P y 3:1 P en Juego real Ídem. edad anterior	– Portero. Situaciones 2:1 P y 3:1 P en Juego real Ídem. edad anterior	**11:11**

Objetivos generales	Etapa	Edad	Objetivos técnicos	Objetivos tácticos	Competición
– Desarrollo de todas acciones propuestas en AT - 1, según línea de juego	I N	13 años	– Desarrollo de todas las acciones técnicas según línea de juego	– Desarrollo de todas las acciones tácticas según línea de juego	Fútbol
– Aplicación sistemática del AT - 1	I C		– Portero. – Situaciones 3:2. P y 4:2. en Juego real (J. Defensivo y Ofensivo)	– Portero. – Situaciones 3:2. y 4:2 P en Juego real (J. Defensivo y Ofensivo)	11:11
– Inicio a la Tecnific. – Inicio al juego de relación entre líneas – Recuper. individualiz. – Aplicación sistemática del At - 1	I A C I Ó N	14 años	– Desarrollo de acciones técnicas deficientes – Realización de acciones técnicas con velocidad adecuada – Inicio de mejora de acciones técnicas aplicadas al sistema de juego – Portero. – situaciones de Juego real (J. Ofensivo y Defensivo)	– Desarrollo de acciones tácticas deficientes – Aprendizaje de sistemas de juego – Portero. – situaciones de Juego real (J. Ofensivo y Defensivo)	fútbol 11:11

ESTRUCTURAS ADECUADAS AL FÚTBOL-BASE

Exponemos este punto con el fin de mostrar la relación que debe existir entre el Programa AT-1 y una serie de estructuras que resultan necesarias para que su aplicación sea eficaz a la hora de mejorar el nivel del Fútbol-Base.

Para ello debemos señalar la existencia de dos figuras básicas en torno a las cuales gira todo el fútbol formativo:

– El Jugador.
– El Técnico.

En relación a ellos se ha efectuado un análisis para determinar sus principales necesidades, de forma que se puedan proponer las soluciones más adecuadas.

El jugador

Los miles de jóvenes que practican fútbol en las etapas de aplicación del AT-1, se hallan en un momento del proceso formativo donde el objetivo a perseguir debe ser su mejora individual como futbolista, y no la consecución de éxitos colectivos.

Así, todos deben tener la posibilidad de acceder a una enseñanza del fútbol de calidad, independientemente de la localidad donde residan.

Este aspecto es de gran importancia, ya que jóvenes jugadores con grandes cualidades, pueden estar ahora mismo en cualquier punto de nuestra geografía sin posibilidad de recibir una formación adecuada.

Con el Programa AT-1 no se trata de realizar un programa único y exclusivo de trabajo, sino de crear las grandes líneas de lo que debe ser un proceso formativo racionalizado, de forma que todos nuestros jóvenes futbolistas disfruten y aprendan con la práctica del fútbol.

El Técnico

La figura de la persona responsable de la formación futbolística de nuestros jóvenes presenta un perfil en el que destacan la gran ilusión y dedicación con la que afronta su labor, a la vez que la nula compensación que recibe por la realización de la misma.

Sin embargo, también muestra de forma generalizada la necesidad de ampliar los conocimientos específicos de los que dispone acerca de los elementos que intervienen en el proceso de formación (el niño y sus características, formas adecuadas de trabajo, concreción de objetivos, etc.).

De esta forma, cualquier proyecto que pretenda mejorar el nivel del Fútbol-Base, deberá proponer:

– Estructuras adecuadas.
– Programas de Aplicación y actividades específicas para el Fútbol-Base.
– Especialización de los técnicos.

A pesar de que se pueda tratar de propuestas más o menos innovadoras, no se debe pretender con ellas la eliminación de todo lo que hasta el momento ha estado funcionando, sino de reconducir las estructuras existentes, abriendo el Programa a la participación de todos los técnicos y entidades de Fútbol-Base, de forma que se aunen esfuerzos en una misma dirección.

Estructuras adecuadas

Estas estructuras son las que deben dar solución, en un principio, a la necesidad de que la formación de un jugador no sufra menoscabo por la búsqueda de otros objetivos que no correspondan a la etapa en la que se encuentra.

Estas entidades deben ser centros en los que se apliquen los distintos programas técnicos, con el objetivo de obtener resultados que redunden en beneficio de todo el Fútbol-Base.

Etapa de Promoción:

Debe realizarse en las escuelas, ya que son el lugar donde el niño inicia habitualmente su actividad deportiva y formativa.

El principal objetivo de la etapa y de estos centros será la promoción del fútbol, realizando su tarea con niños de entre 6 y 11 años.

Etapa de Iniciación:

Debe realizarse en clubes y entidades dedicadas a la enseñanza del Fútbol con jugadores de entre 12 y 14 años.

Estos centros acogerán a los alumnos de las escuelas que tengan aptitudes para la práctica del fútbol, al finalizar la etapa de promoción.

No realizarán, en ningún caso, actividades con jugadores de la etapa de Promoción por varios motivos:

– Evitar la selección de jugadores (ya que el objetivo de la etapa es la máxima participación).
– Necesidad que presenta el jugador de realizar una actividad polideportiva.

Sin embargo, resultaría importante que ayudaran y promocionaran las actividades realizadas por las escuelas de su entorno.

Etapa de Tecnificación:

Deberá realizarse en centros oficiales (con un ámbito de influencia definido).

Su objetivo será perfeccionar a los jugadores (15 a 17 años) de su zona que finalicen la etapa de iniciación presentando especiales disposiciones para la práctica del fútbol.

Etapa de Rendimiento:

Los jugadores que al finalizar la etapa de Tecnificación presenten aptitudes para alcanzar un elevado nivel de juego, deben integrarse en un régimen de trabajo especial que les permita adaptarse a la competición que se les exigirá en su etapa profesional.

PROGRAMAS Y ACTIVIDADES ESPECÍFICAS PARA EL FÚTBOL-BASE

Programas Técnicos

Se trata de la creación de Programas de Aplicación Técnica específicos para cada una de las etapas (AT-1, AT-2 y AT-3).

Actividades

Se deben proponer una serie de actividades para las diferentes etapas:

338 				Entrenamiento en el fútbol-base

* Fútbol a 7:

Debe ser la competición oficial a desarrollar en la categoría Benjamín.

Existe un reglamento oficial de Fútbol a 7, aprobado por el Comité Técnico de Fútbol-Base, por el que se rige la competición de dicha categoría en Cataluña.

* Fútbol a 9:

De aparición en un futuro próximo, pretende establecer un puente entre el Fútbol a 7 y el 11:11, posibilitando una introducción progresiva en la competición del adulto.

Ambas innovaciones serán elementos que darán mayor motivación al juego, ya que las dimensiones del terreno, las medidas del balón y las porterías, y el número de jugadores, propiciarán que sea más adecuado, racional y creativo, a la vez que permitirán un mayor tiempo de intervención directa en el mismo.

* Campeonato de Selecciones Comarcales Sub-14

Con la creación de este campeonato se persiguen dos objetivos:
– Poder disponer de una muestra representativa del Fútbol-Base en su conjunto y de las diferentes zonas de nuestra geografía (Carácter técnico).
– Incentivar a un importante número de nuestros jugadores mediante la posibilidad de formar parte de una selección oficial.
Al ser de ámbito comarcal, esta posibilidad es mucho más próxima que la de ser incluido en las selecciones inferiores nacionales y autonómicas (Motivación).

Especializaciones para los técnicos

Cualquier proyecto serio sobre Fútbol-Base debe contemplar la especialización de sus técnicos. Sin embargo, ésta debe estar basada en una clara premisa; **facilitar** al máximo **la asistencia,** de forma que pueda participar en ellas cualquier responsable técnico que tenga interés en realizarla.

Para ello, un concepto importante es diversificar los lugares donde se celebren las especializaciones, abandonando la costumbre de convocarlos de forma centralizada.

CAPÍTULO 8

HIGIENE Y DEPORTE EN LA EDAD INFANTIL

INTRODUCCIÓN A LOS CAPÍTULOS DE HIGIENE, PREVENCIÓN Y CUIDADOS DE URGENCIA, Y EL ENTRENADOR COMO EDUCADOR

Como hemos visto el Programa AT-1 trata fundamentalmente aquellos elementos que el entrenador debe tener en cuenta para lograr la mejora de sus jugadores.

Además de los puramente técnicos, son necesarios otro tipo de aspectos que son soporte del Proceso de formación, como los médicos, psicológicos, etc.

Sería deseable que cada entidad dispusiera de los diversos especialistas de estas materias de forma que fueran ellos quienes las desarrollaran directamente en los entrenamientos y competiciones (médico, fisioterapeuta, psicológico).

Resulta evidente que esta situación es inviable, en la actualidad, en el ámbito del Fútbol-Base. A pesar de ello, la aplicación de estos aspectos sigue siendo necesaria para el correcto desarrollo del proceso formativo.

Por esta razón, el técnico debe suplir en la medida de lo posible la ausencia de estas personas, para lo que resulta indispensable que posea los conocimientos básicos de estas materias.

Así, dentro del contexto del Programa AT-1, incluimos unas orientaciones prácticas de gran utilidad en relación a estos contenidos.

Agradecemos la colaboración de los autores de cada uno de estos apartados, con la satisfacción de saber que lo expuesto es el fruto de los conocimientos y experiencias de reconocidos profesionales, en cada uno de los diferentes ámbitos a los que se hace referencia. Estos autores son:

– Eduardo Mauri Montero

• Licenciado en Medicina.
• Especialidad Medicina Deportiva.
• Miembro del Comité Técnico de Fútbol-Base de la Federación Catalana de Fútbol.

– Jaume Rocha Ventosa

• Fisioterapeuta del Equipo Nacional de Softbol.
• Fisioterapeuta de la Federación Catalana de Béisbol y Softbol.
• Coordinador de la Sección de Deportes de la Asociación Española de Fisioterapeutas.
• Miembro del Comité Técnico de Fútbol-Base de la Federación Catalana de Fútbol.

– Isabel Gázquez Pérez

• Licenciada en Psicología.
• Master en Psicología del Deporte.
• Psicóloga del Centro Nacional de Fútbol de la Federación Catalana.
• Miembro del Comité Técnico de Fútbol-Base de la Federación Catalana de Fútbol.

HIGIENE Y DEPORTE EN LA EDAD INFANTIL

Entendemos por higiene deportiva la correcta regulación de una serie de hábitos que permitirán que la salud en el niño que hace deporte sea óptima y que de alguna manera nos va ayudar en lo posible a evitar la mayor cantidad de lesiones y enfermedades.

El concepto de higiene deportiva nos va a abarcar desde la nutrición, la ducha, los hábitos de sueño, etc., hasta el calzado y cuidado del aseo tanto personal como material.

El problema más abundante es la caries dental junto a una deficiente higiene bucal que harán de ella el factor más importante a tener en cuenta en lo que a higiene se refiere en el niño. La caries dental se podría evitar con una alimentación controlada y con una correcta limpieza de las piezas dentales diariamente, así como el paso por la consulta del odontólogo por lo menos una vez al año.

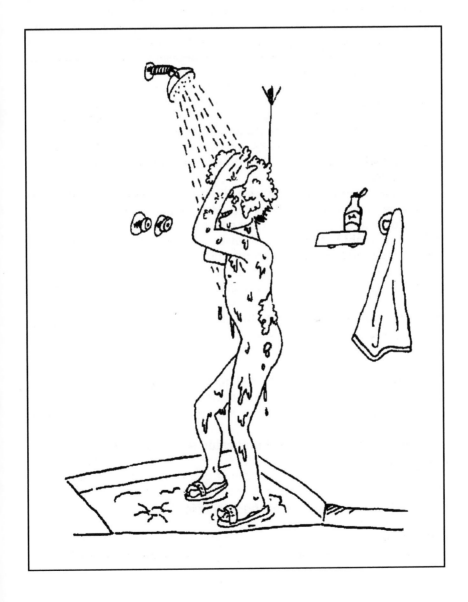

Otro aspecto importante es la ducha diaria, imprescindible después de los entrenamientos y los partidos, con lo que eliminaremos olores desagradables y contaminaciones de la piel.

Es importante inculcar estas ideas a los niños que empiezan a practicar el fútbol y acostumbrarles a utilizar su propio material de aseo, evitando intercambiarse zapatillas de baño, toallas, etc. para prevenir las contaminaciones por hongos, que son muy comunes que afloren en lugares húmedos y especialmente el denominado "pie de atleta", enfermedad de la piel muy molesta que aparece normalmente entre los dedos de los pies. Con ello y con el uso de calcetines secos y limpios evitaremos dicha enfermedad.

También los hábitos de sueño y vigilia son fundamentales para lograr el correcto desarrollo de la actividad deportiva de los niños. Es imprescindible, por tanto, dormir 8 horas, y organizarse el tiempo para realizar de una forma adecuada tanto la actividad física como la intelectual.

Otro de los factores que hay que cuidar en lo que a higiene se refiere es el del calzado deportivo. Hemos de recordar que la existencia del pie es anterior a la del calzado, por lo que ha de ser éste el que se adapte al pie y no al revés. Además, el calzado se ha de adaptar al medio utilizado (campo duro, blando, hierba, embarrado), y cada uno tiene unas características diferentes.

El pie del futbolista tiene muchas zonas que reciben continuos impactos al golpear el balón, por ello, hemos de tener cuidado para evitar las lesiones por sobrecarga.

Un correcto calzado para un futbolista debería comprender:

Suela:

– Aislante del frío, repelente del agua, que sea duradera y muy absorbente por las ondas de choque del pie contra el suelo.

Talonera:

– Para disminuir la tensión a que están sometidos los tendones de Aquiles.

Empeine:

– Ancho para no provocar vasoconstricción.

Lengüeta:

– Acolchada para amortiguar el impacto del balón en el golpeo.

Tacos:

– Altos en terreno embarrado y cortos en terrenos de hierba seca. En terrenos de tierra es preferible utilizar tacos de goma.

Alimentación deportiva en el niño y el adolescente

La alimentación es un factor muy importante en la vida de los adultos, pero aún lo es más, si cabe, en la vida del niño y el adolescente, ya que su actividad deportiva, su crecimiento y sus necesidades calóricas así lo requieren.

Recordaremos algunos principios básicos de una correcta alimentación:

– Las calorías han de provenir al menos en un 60% de los hidratos de carbono, y en un 15% de las proteínas.
– Los hidratos de carbono son el combustible energético y muscular, pudiendo ser el rendimiento hasta 4 veces superior que en una dieta rica en grasa o proteínas.
– Una dieta correcta y equilibrada contiene en sí misma todas las vitaminas, minerales y proteínas que necesita el organismo.
– El rendimiento no puede ser óptimo si se realizan menos de tres ingestas de alimento al día.
– El desayuno proporciona el combustible para la competición de la tarde.
– No se debe reducir ninguna comida.
– Debemos comer 3 horas y media ó 4 antes de un partido.

La mayoría de las vitaminas no las produce el organismo, por lo que se han de adquirir a través de la dieta, y como no hay ningún alimento que las contenga todas, deberemos procurar que la alimentación sea lo más variada posible.

Otro elemento muy importante es el agua. Recordar que el 60% del organismo es agua, y este dato debe mantenerse constante.

La ingestión de agua ha de ser progresiva, a pequeños y cortos sorbos.

Dividiremos en líneas generales 3 tipos de dietas:

– De Entrenamiento.
– De Competición.
– De Recuperación.

Dieta de Entrenamiento

Los alimentos han de ser fácil digestión, y la ingestión de líquidos mejor que se realice al final de cada comida.

- Desayuno: 2 horas antes de la actividad.
- Comida: 3 horas antes de la actividad.
- Merienda: Similar al desayuno.
- Cena: Equilibrada y con abundante líquido.

Ejemplos:

- Desayuno: Te o café con leche con tostadas.
             Croissant.
- Comida: Ensalada.
          Carne o Pescado.
          Postres.
          Pan.
- Merienda: Similar al desayuno.
- Cena: Huevos.
        Ensalada.
        Postres.

Al jugador se le debe orientar para que elimine, o al menos disminuya:

- Fritos.
- Salsas y mayonesas.
- Guisados.

Dieta de Competición

Comidas de fácil digestión, moderadas y de aporte energético suficiente. La comida se fijará 3 horas y media ó 4 antes de la competición, y constará de:

- Sopa de caldo o pasta.
- Ensalada.
- Carne o Pescado a la plancha con puré.
- Ensalada de frutas.

Evitar bebidas con gas.

- Partido matinal: Correcto desayunar 2 horas y media antes. Incluir una ración suplementaria de proteínas (un poco de carne a la plancha).

- **Partido nocturno:** La comida igual que en régimen de competición y merienda con ración suplementaria de proteínas.

Conviene rehidratar constantemente, pero de forma progresiva.

Dieta de recuperación

Hemos de volver al equilibrio biológico del individuo.
Es importante iniciar una correcta rehidratación.
Si el partido ha sido matinal, la comida será similar a la de régimen de competición, procurando no cargar la ración de proteínas.
Si ha sido en la tarde-noche, en la cena podemos dar una crema, ensalada vegetal, un poco de pasta ligera y abundante fruta.

Fisiología del organismo infantil y desarrollo

Ante todo debemos recordar que el niño es un hombre en potencia y no en miniatura. Su organismo está evolucionando constantemente, y los sistemas y tejidos se transforman de una manera progresiva y adecuada, según avanza en edad.

Sistema nervioso

En el nacimiento, las reacciones nerviosas están todavía en una fase de desarrollo primario, adquiriéndose la madurez nerviosa completa alrededor de los 15 años.

Sistema Cardiocirculatorio

En el recién nacido la masa muscular de los ventrículos es la misma. Alrededor del año, el ventrículo izquierdo va aumentando hasta llegar al doble del ventrículo derecho.
El crecimiento del corazón es rápido en este primer año, mientras que de los dos a los cinco se ralentiza, siguiendo su ritmo de crecimiento a partir de la pubertad.
La frecuencia cardíaca va disminuyendo con la edad, por lo que en diferentes edades encontramos diversas frecuencias:

- **Nacimiento:** 140 +/- 80 pulsaciones/minuto.
- **1er mes:** 130 +/- 45 pulsaciones/minuto.
- **2° - 4° año:** 105 +/- 40 pulsaciones/minuto.

- 5° - 10° año: 95 +/- 30 pulsaciones/minuto.
- 11° - 14° año: 85 +/- 30 pulsaciones/minuto.
- 15° - 18° año: 82 +/- 25 pulsaciones/minuto.

Sistema Respiratorio

Recordaremos que hasta los 5 años la respiración es predominantemente abdominal, y a partir de los 6 años torácica.

La frecuencia respiratoria varía también con la edad, y cuanto menor es la edad, mayor es la frecuencia.

- Nacimiento: 30-80 resp./minuto.
- 1ª infancia: 20-40 resp./minuto.
- 2ª infancia: 15-20 resp./minuto.
- A partir 15 años: 15-20 resp./minuto.

Sistema Locomotor

En el crecimiento influye, además de los factores hormonales, los factores mecánicos y la fuerza de la gravedad.

Los huesos se originan a partir del tejido cartilaginoso. Este proceso se inicia en el período prenatal, finalizando hacia los 20-25 años.

En la infancia se observan menos fracturas óseas por la flexibilidad de los huesos, pero existe un mayor peligro de lesiones por microtraumatismos y sobrecargas.

El tejido muscular aumenta progresivamente respecto al peso corporal, siendo los períodos prepuberal (12-14 años en los hombres) y el puberal (14-16 años) donde se producen grandes cambios físicos.

Durante la adolescencia existe un desarrollo muscular y sexual rápido, así como la osificación del cartílago de crecimiento que marcará el final del crecimiento estatural.

Todo esfuerzo implica una serie de respuestas y adaptaciones por parte del organismo que dependerán de la intensidad, duración y repetición del mismo.

El esfuerzo debe ir en consonancia con las características biológicas de cada etapa del desarrollo, por lo que deberemos evitar cualquier tipo de sobrecarga en los niños y jóvenes.

Las adaptaciones que se producen con el esfuerzo inciden de diversos modos sobre los distintos organismos:

Sistema óseo

La práctica correcta de actividad física aumenta la estructura ósea, mientras que la inactividad origina una descalcificación del hueso. (Según diversos autores, con una semana de inactividad la desmineralización es ya considerable.)

Sistema Muscular

Se ha comprobado que hay un aumento de tamaño de las fibras musculares con la actividad física. Algunos autores incluso indican que también se produce el aumento de número de fibras (hiperplasia).

Sistema Cardiorespiratorio

En el corazón se observa una hipertrofia de las fibras musculares, y un aumento de tamaño de sus cavidades.

También aumenta el consumo de oxígeno (VO_2), que es la capacidad de transportar el oxígeno por el sistema circulatorio y su utilización por los diferentes órganos implicados en el ejercicio.

La tensión arterial y la frecuencia respiratoria aumentan durante el ejercicio, pero en las personas entrenadas, este incremento es menor, y se produce de forma más progresiva.

CAPÍTULO 9

PREVENCIÓN Y CUIDADOS DE URGENCIA

INTRODUCCIÓN

Uno de los problemas más temidos tanto por deportistas como por entrenadores son las lesiones. Estas lesiones, tan fáciles de producirse, necesitan frecuentemente mucho tiempo para curarse; ¡Lesiones que se producen en el momento más inesperado y que pueden reducir a cero el trabajo del deportista!

En consecuencia, hoy en día se le da una enorme importancia al trabajo de prevención, que forma parte del plan de entrenamiento del deportista.

Somos conscientes de que las lesiones producidas como consecuencia de un traumatismo directo no las podemos evitar, pero si miramos la estadística de lesiones en el mundo del fútbol, observaremos que existe un tanto por ciento elevado de lesiones producidas por traumatismos intrínsecos, es decir, producidas por el propio deportista (esguinces, lesiones musculares, etc.).

Éstas son pues, las lesiones que sí se pueden evitar o disminuir.

Aun con una correcta prevención las lesiones se producen, y por consiguiente se deben tratar de forma adecuada.

Una vez se ha producido la lesión, se ha de actuar con rapidez y seguridad. No en vano, la evolución de la lesión depende en gran parte del tratamiento de urgencia que se haya aplicado al deportista. Unos conocimientos básicos sobre el "que hacer" y fundamentalmente sobre el "que no hacer", son imprescindibles para aquellas personas que mantienen un contacto directo con los deportistas.

Así pues, este apartado tiene una doble finalidad: dar a conocer aquellas técnicas cuya aplicación consigue reducir el número de lesiones, y enseñar unos conocimientos básicos que permitan el tratamiento sobre el terreno de juego del deportista lesionado para, en caso necesario, remitirlo al centro hospitalario en las mejores condiciones posibles.

Se aconseja disponer de un fisioterapeuta, si no en plantilla, sí como colaborador para que realice y controle los aspectos de prevención y tratamiento posterior de la lesión.

PREVENCIÓN

Es evidente que el deportista debe incluir en su programa de trabajo, la ejecución de una serie de técnicas encaminadas a la prevención de lesiones. Estas técnicas forman parte en algunos casos del programa de entrenamiento, y en otros se adoptan como medidas de prevención para aquellos casos en que se sospecha la posibilidad de la aparición de una lesión por sobrecarga, porque sale de una lesión y se reincorpora a la actividad física, etc.

Entre las técnicas o métodos empleados para la prevención de lesiones podemos citar:

– Musculación.
– Estiramientos.
– Material ortopédico.
– Vendajes funcionales.
– Masajes

Veamos las ventajas e inconvenientes de estas técnicas, así como sus aplicaciones.

1. MUSCULACIÓN

Se dice que la mejor rodillera es una potente musculatura, o que la mejor tobillera es una buena musculatura estabilizadora. ¡Cuánta razón hay en estas afirmaciones!

Hay muchos jugadores que utilizan prendas ortopédicas, tan de moda en la actualidad, porque se sienten más seguros, más protegidos, pero olvidan que su musculatura no es lo suficientemente potente y que hay que desarrollarla. Estas prendas tan utilizadas, tienen sus indicaciones y sus contraindicaciones como más adelante veremos.

Así pues, es fundamental tener y desarrollar una buena musculatura, no sólo en el plano terapéutico, como medida para corregir desviaciones de la columna o tratar las atrofias musculares, sino como medida preventiva.

No voy a describir las técnicas de musculación, ya que es más competencia del preparador físico, pero sí a dar unas normas desde el punto de vista preventivo.

La musculación se debe realizar sobre unas bases técnicas perfectas, potenciando por igual los agonistas y los antagonistas.

Se debería adaptar la musculación, y sus diferentes técnicas, al deporte practicado. Por ejemplo, potenciar la musculatura cervical en los futbolistas, para poder resistir mejor las compresiones creadas por los cabezazos y evitar a la larga problemas cervicales.

En general, cuando se efectúa un trabajo de musculación, se realiza de manera analítica, es decir, se potencia un músculo o un grupo reducido de músculos. Si observamos cualquier gesto deportivo, por ejemplo, al efectuar un chut, veremos la gran cantidad de músculos que de forma coordinada trabajan. Esto quiere decir que los músculos trabajan en una cadena totalmente sincronizada. Es por lo que al efectuar el trabajo de musculación debe dejarse un espacio para imitar los gestos que luego, en la práctica deportiva, se realizan. Es lo que denominamos reeducación propioceptiva.

Esta reeducación se realiza generalmente a nivel de las extremidades inferiores, ya que en general son las más castigadas por las lesiones, no queriendo decir con esto que en las extremidades superiores no haya de realizarse este trabajo.

Esta técnica se realiza, entre otras maneras en planos inestables, en los que el deportista debe mantener el equilibrio y con la rodilla en diferentes grados de flexión.

En concreto esta técnica es de fácil aplicación y el deportista la puede realizar incluso en su propio domicilio.

Estas planchas inestables pueden ser circulares o rectangulares y son de fácil fabricación.

Las técnicas de reeducación propioceptiva, tanto a nivel de extremidad superior como de inferior requieren el asesoramiento del fisioterapeuta.

2. ESTIRAMIENTOS

Los estiramientos o stretching tienen un papel fundamental en el terreno de la prevención.

Hasta la fecha, muchos métodos han sido propuestos y practicados con el fin de conseguir una disminución en las lesiones de origen intrínseco. El calentamiento previo a un entrenamiento o a una competición, es indispensable para evitar la aparición de lesiones. Debemos recordar que el calentamiento debe ser:

– Prolongado: Entre 15 y 20 minutos.
– Progresivo: De menor a mayor intensidad.
– Adaptado: Al deporte que se practica.

Si se realiza de manera correcta, conseguimos:

– Una mejor irrigación muscular.
– Mayor facilitación de la acción nerviosa.
– Aumentar la elasticidad muscular.
– Mejoramos el gesto deportivo.

Después de los ejercicios de potenciación o de una actividad física deberían realizarse ejercicios de estiramiento, ya que existe una relación muy directa entre músculo potente y músculo acortado, siendo éste una puerta abierta para la lesión, ya que está limitada la amplitud articular y por consiguiente su gesto deportivo no es correcto, debiéndolo compensar con otros movimientos complementarios, lo que favorece la aparición de lesiones.

Es correcto que antes del entrenamiento o incluso al principio de los ejercicios del calentamiento se realicen estiramientos, pero debemos saber que sólo tienen como misión ayudar en el calentamiento. Por el contrario, los que se realizan una vez ha finalizado el entrenamiento o el partido, tienen como objetivo devolver al músculo la elasticidad perdida durante la actividad física, evitando de esta manera el progresivo endurecimiento muscular, y por consiguiente la aparición de lesiones.

Varios son los métodos o técnicas que en la actualidad se pueden aplicar. Para ver con mayor claridad las diferencias más importantes entre las distintas técnicas, podemos citar:

1. Estiramientos pasivos

Estos estiramientos fueron preconizados por el Dr. Anderson. Consisten en efectuar los estiramientos de manera totalmente pasiva. Se efectúan con la ayuda del propio peso del cuerpo o con la ayuda de un compañero. Los estiramientos con rebote están totalmente contraindicados.

En Suecia, a principios de los años 80 se da a conocer una nueva técnica, basada en trabajos de Kabat, y que consiste en aplicar una contracción isométrica previa del músculo que vamos a estirar. Esta técnica pasa por tres fases:

      Contracción   Relajación   Estiramiento

El tiempo de duración de cada fase irá en función del estado en que se encuentre el músculo. A mayor fatiga muscular, menor tiempo de contracción isométrica y viceversa. Se aconseja no obstante, que la duración de la contracción isométrica no sobrepase los 9 segundos (Figura 1a y 1b).

Es el Profesor Ekstrand, quien en 1984, y tras dar a conocer unos trabajos en los que demuestra la disminución de lesiones con la aplicación de esta técnica, quien incorpora al deporte estos estiramientos, como medida preventiva, realizándolos siempre al finalizar la actividad física.

2. Estiramientos activos

Esta técnica dada a conocer en Francia por Michelle Esnault, difiere bastante de la anterior. La principal diferencia consiste en lograr que al mismo tiempo que se efectúa el estiramiento, el músculo esté en contracción. Pretende, además, conseguir un estiramiento o movilidad transversal de las fibras, realizando los estiramientos en diagonal, y procurando imitar o reproducir al máximo, los gestos deportivos (Figura 2).

Como inconveniente cabe destacar su difícil aprendizaje.

Los estiramientos después de los entrenos deberían convertirse en una obligación, pero además, los deportistas deberían conocer la importancia que tienen, no sólo como efecto de prevención, sino que al aumentar su elasticidad, aumentan la amplitud articular de cadera, mejorando su gesto deportivo y en consecuencia mejorando su técnica. Éstos son realmente los efectos de los estiramientos.

Así pues, los estiramientos realizados en la musculatura de la extremidad inferior son estiramientos pasivos con la contracción isométrica previa.

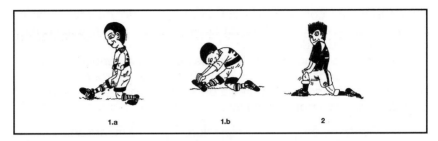

Figura 1a. *Fase de contracción isométrica de los isquiotibiales.*

Figura 1b. *Fase de estiramiento de los isquiotibiales.*

Figura 2. *Estiramiento activo de cuadríceps.*

Por el contrario, aconsejamos que los estiramientos efectuados sobre los músculos del tronco o de la extremidad superior sean activos. Con los estiramientos activos a nivel de tronco y extremidad superior no forzamos tanto las estructuras cápsulo-ligamentosas, consiguiendo, además, un estiramiento más efectivo y menos doloroso.

3. VENDAJES FUNCIONALES

La mayoría o gran parte de los futbolistas tienen por costumbre vendarse los pies, pero desgraciadamente, son pocos los que consiguen realizar un vendaje que realmente estabilice sus tobillos. La mayoría de ellos sólo cumplen una misión psicológica, no mecánica, por lo que siguen produciéndose los esguinces de tobillo.

Es el propio deporte el que recupera una antigua técnica y la pone de moda: los vendajes funcionales.

Estos vendajes, más conocidos por el nombre de taping o straping, son una vieja técnica, que gracias a los nuevos métodos de aplicación, así como a una mejor calidad del material han conseguido actualizarse.

Se trata de vendajes específicos para cada lesión y deportista en particular; podríamos decir que se trata de trajes a medida.

Los vendajes funcionales producen una descarga a nivel de la zona lesionada, pudiendo además estabilizar en la medida deseada una articulación, manteniendo cierta funcionalidad en la zona.

Se usan en dos grandes campos:

Preventivo

Como medida de prevención y como ayuda en la readaptación del lesionado a la práctica deportiva.

Terapéutico

Se utiliza como medida de refuerzo para las demás técnicas fisioterápicas utilizadas para la curación de la lesión.

Existen fundamentalmente tres tipos de vendajes funcionales en función del material empleado.

• *Vendajes rígidos*

Para este tipo de vendajes se emplea el tape o cinta rígida. Se utilizan para limitar el movimiento doloroso de una articulación.

En el tobillo son muy empleados para la prevención de los esguinces.

• *Vendajes semi-rígidos*

Se emplea de manera combinada el tape y la venda elástica adhesiva.

Su finalidad es doble: compresión y estabilización.

• *Vendajes elásticos*

Se emplea únicamente la venda elástica adhesiva. Se utilizan para conseguir una descarga del músculo o tendón lesionados.

La utilización de un vendaje u otro nos vendrá condicionada por la fase en que se encuentre la lesión, así como el deporte que se tiene que practicar.

Al igual que ocurre con otras medidas terapéuticas, los vendajes funcionales tienen sus indicaciones específicas y concretas, así como unas contraindicaciones claras.

Como indicaciones importantes citaremos:

– Esguinces ligamentosos menos graves y leves.
– Tendinitis y tenosinovitis.
– Pequeñas rupturas fibrilares.
– Elongaciones.
– Periostitis.

Como contraindicaciones:

– Fracturas.
– Luxaciones.
– Esguinces graves.
– Rupturas musculares importantes.
– En general, todas aquellas lesiones que requieran una inmoviliza-
  ción absoluta.

Material necesario

Para la confección de un vendaje funcional necesitaremos lo siguiente:

– Venda de gomaespuma, llamada también pre-tape. Se utiliza con
  el único objetivo de proteger los pelos y la piel del pegamento que
  lleva el tape o la venda elástica adhesiva.
– Spray de cola, o tintura de benjoín. Se utiliza aquellos casos en
  que la piel del deportista es sudorosa y que el tape no se adhiere,
  por lo que colocamos esta cola para reforzar la adherencia.
– Tape. Se trata de una cinta deportiva rígida y adhesiva, muy pare-
  cida al esparadrapo.
  Las medidas que se usan de ancho son de 2 y de 3,8 o de 4 mm.
– Venda elástica adhesiva. Las medidas más frecuentes en ancho
  son de 4 y 8 cm.
– Material de protección. Se trata de unas planchas de gomaespuma muy fuerte y que se emplea para proteger las prominencias
  óseas, o puntos en lo que se puede producir una compresión.

Confección de un vendaje de prevención de tobillo

En primer lugar debemos limpiar la piel. En el caso de que el deportista sude, aplicaremos una capa de tintura de benjoín. Luego
vendaremos todo el tobillo con el pre-tape. A continuación colocaremos dos tiras de tape, que harán la función de anclajes y que se
colocarán, una a nivel de la mitad de la pierna rodeándola totalmente, y el otro a nivel de los metatarsianos, pero sin cerrarlo totalmente, dejándolo abierto en la planta del pie. Luego colocaremos una
tira que partiendo del anclaje superior y por su cara interna y parale-
lo a la pierna, pase por debajo del talón y suba por la otra cara hasta fijarse en el anclaje. La posición del tobillo debe de ser de 90 grados. Otra tira partirá del quinto metatarsiano y pasando por detrás

del talón se irá a fijar en el primer metatarsiano (justo en el anclaje).
Estas tiras al igual que las anteriores se irán superponiendo en un
número de 2 ó 3 de cada una de ellas.

Finalmente, se colocarán dos tiras. La primera saldrá de maleolo
peroneal, cruzará la articulación, pasará por debajo del talón, su-
biendo por la parte posterior del tobillo hasta llegar al anclaje superior (Figura 3. a-b-c-d-e-f-g).

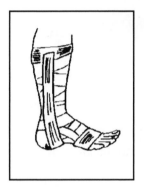
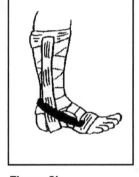
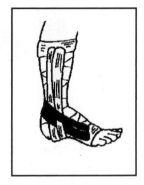

Figura 3a.   *Figura 3b.*   *Figura 3c.*

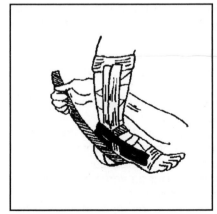
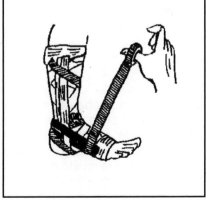

Figura 3d.   *Figura 3e.*

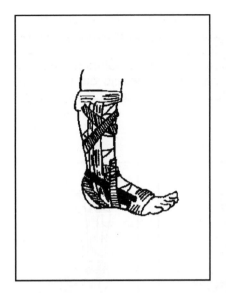 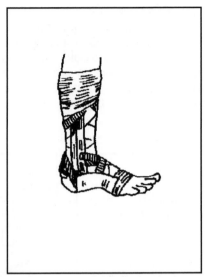

Figura 3f.   **Figura 3g.**

La otra tira realiza el mismo recorrido inicial, pero al salir del talón pasará por la parte anterior del tobillo, hasta fijarse en el anclaje superior. Luego se cierra el vendaje con tiras circulares.

Al tratarse de un material rígido, no debe realizarse ningún tipo de tensión sobre los mismos, ya que podríamos tener problemas de compresión.

El vendaje se lo puede realizar el mismo deportista, basta con colocar el pie encima de una silla apoyándose sólo con los dedos y con el tobillo a 90 grados.

Deben evitarse las arrugas, ya que podrían ocasionar flictemas. Si es necesario debe de repetirse el vendaje.

Al finalizar el vendaje se debe comprobar la eficacia del mismo. En el caso de que no quede lo suficientemente estable, se puede reforzar, sin necesidad de quitarse el que se ha realizado.

Si vemos que existe alguna zona que pueda verse afectada, debemos protegerla con planchas de gomaespuma.

Estos vendajes sólo requieren práctica y son de gran utilidad para la prevención de los esguinces del ligamento lateral externo de tobillo, tan frecuentes en el deporte.

4. MATERIAL ORTOPÉDICO

Últimamente y cada vez con mayor frecuencia, observamos como deportistas de alta competición van protegidos con rodilleras, tobilleras, coderas, etc. Esto no tendría la mayor importancia si nuestros jóvenes deportistas no siguiesen una imitación generalizada. ¿Cuántos deportistas se compran una de estas prendas porque tal o cual jugador la lleva? Lo que desconocen estos jóvenes deportistas, es que estos jugadores han sido visitados y diagnosticados, y que en consecuencia se les ha recetado la prenda más adecuada para su lesión.

Se ha de conocer exactamente el tipo de lesión y la fase en que se encuentra, para poder obrar en consecuencia. Una lesión del ligamento lateral de la rodilla, necesita una rodillera diferente a la de una lesión rotuliana, por poner un ejemplo (Figura 4).

No se puede comprar una prenda porque es bonita o porque hace juego con el uniforme del equipo; y esto por desgracia ocurre, debiendo ser los propios entrenadores quienes las prohíban, salvo las prescritas por el médico.

De todas formas, se debe dejar bien claro, que estas prendas se utilizan, por lo general, en la fase de recuperación, y que sólo son útiles de manera continuada en determinadas ocasiones y en lesiones irreversibles.

Podemos dividirlas en dos clases o funciones:

Compresión

Producen dos efectos importantes: calor, debido al material con que están fabricadas y compresión. Están indicadas principalmente en la fase de recuperación de las lesiones músculo-tendinosas.

Estabilizadoras

Se utilizan para estabilizar una articulación. Pueden o no producir calor, ya que lo que interesa no es el calor, sino la protección de una articulación frente a posibles recidivas (Figura 5).

Todo este material, utilizado correctamente nos puede ser de gran ayuda, y por el contrario, si no se le da el uso adecuado, puede ser perjudicial.

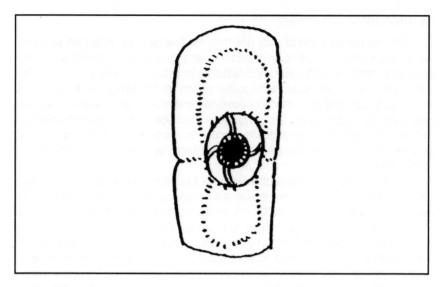

Figura 4. *Rodillera con soporte rotuliano (Vista interna).*

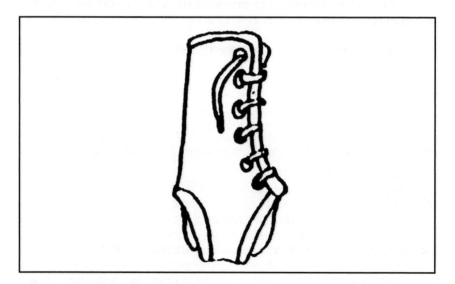

Figura 5. *Estabilizador de tobillo.*

5. MASAJE

Aunque no se trate de un manual de masaje, es interesante conocer algunos aspectos del masaje deportivo y fundamentalmente su uso indiscriminado con el que a menudo se ve realizado. Cabe diferenciar entre el masaje y la masoterapia. El primero es aquel que se aplica a modo de relajante, descontracturante, etc. a aquellos músculos que no presentan ninguna lesión anatómica. Por el contrario, la masoterapia, tiene su aplicación en aquellos estadios en que la musculatura se encuentra con un daño anatómico. La masoterapia debe ser aplicada por un fisioterapeuta.

El masaje es un tema realmente interesante y que se debe abordar. Si hablamos del masaje como técnica de prevención debemos ser cautos. El masaje precompetitivo, tiene o debe tener dos condicionantes. La persona que realice el masaje debe conocer perfectamente los efectos del masaje y, por consiguiente, realizarlo de manera perfecta, y por otro lado el deportista debe saber recibir el masaje.

El masaje precompetitivo no debe ser nunca fuerte y doloroso, ya que estas presiones fuertes e intensas provocan pequeños microtraumatismos, que pueden ayudar a la aparición de lesiones. Por el contrario, tampoco puede ser suave y relajante, ya que la excesiva relajación nos va a producir una lentitud en la contracción muscular.

Así pues, vemos que el masaje energético sin llegar a ser fuerte y de breve duración es el que debe recibir el deportista, siempre y cuando esté acostumbrado a recibirlo. El masaje por el masaje no es bueno ni es aconsejable.

La finalidad de este masaje es ayudar al calentamiento. Jamás un masaje puede suplir al calentamiento.

El masaje tiene unas indicaciones mucho más importantes y más precisas. Bien realizado es efectivo para eliminar los dolores por fatiga muscular, las contracturas, etc. Técnicas más concretas y precisas son de aplicación diaria en la fisoterapia deportiva como tratamiento de las lesiones de partes blandas en los deportistas.

CUIDADOS DE URGENCIA EN LAS LESIONES DEPORTIVAS

La primera atención dada in situ al deportista lesionado tiene una gran importancia para su posterior evolución (Figura 6).

El saber actuar con prontitud y con firmeza, sabiendo que hay que hacer, y sobre todo lo que no se debe de hacer, es fundamental. La aplicación de calor o frío: esta duda nos puede agravar una lesión con enorme facilidad.

No se pretende, en este capítulo, escribir un tratado de medicina sino, que conociendo y relatando las lesiones más frecuentes en el futbolista, explicar el tratamiento que se debe realizar sobre el mismo

Figura 6.

terreno, para que este deportista llegue en las mejores condiciones al centro hospitalario o a su médico para un correcto diagnóstico.

Cuando salimos al terreno de juego para atender a un deportista, debemos tener en mente la máxima que dice: ver, oír y tocar. Es decir, hemos visto la jugada en la que se produce la lesión, a continuación es el deportista quien nos debe explicar la sensación que ha notado y cuáles son los movimientos dolorosos o la zona que le duele, para posteriormente explorar la zona y aplicar el consiguiente tratamiento, valorando la posibilidad de continuar en el terreno de juego.

1. Lesiones más frecuentes

Las lesiones que con mayor frecuencia se producen en el futbolista son las que afectan a las partes blandas. Músculos, tendones y ligamentos, son la preocupación tanto de deportistas como de técnicos.

Veamos, pues, cómo se producen estas lesiones, que sintomatología presentan, así como el tratamiento que se debe aplicar una vez se produzca la lesión. Dividiremos las lesiones en tres patologías: muscular, tendinosa y ligamentosa.

Patología muscular

Las lesiones musculares las podemos dividir en dos grupos: las que no presentan lesión anatómica y las que por el contrario presentan un daño anatómico. Dentro del primer grupo tenemos las contracturas, los calambres, el dolor muscular, las elongaciones. En el segundo grupo están las rupturas fibrilares, los desgarros y las rupturas totales del músculo.

CALAMBRES

El calambre es una contracción involuntaria persistente y dolorosa de uno o varios músculos. El músculo se vuelve duro, muy doloroso e incapaz de relajarse.

El calambre se produce cuando algunas fibras musculares, después de efectuar una contracción no se relajan. Esta contracción continuada hace que el riego sanguíneo que se dirige a ellas se detenga, lo que aumenta el dolor, provocando un reflejo nervioso que estimula y hace que aumente el número de fibras en contracción, lo que provoca un aumento del dolor.

De esta manera, se forma un círculo vicioso, que se deberá romper para resolver el problema.

Causas

Las razones por las que la rampa hace acto de presencia pueden ser varias: el frío, el cansancio, la posición o técnica defectuosa, así como los errores dietéticos son de las principales causas que originan la aparición de los calambres.

Tratamiento

El estiramiento suave y progresivo del músculo es la más efectiva de las soluciones. El frío en la región plantar del pie también es útil.

Si un jugador tiene dos calambres consecutivos en la misma zona y en el mismo partido, debe de abandonar el terreno de juego.

Prevención

Con referencia a los calambres, aunque muchas de las técnicas de prevención ya han sido descritas, podemos hacer hincapié en los siguientes consejos:

– Si se deben al frío, el uso de cremas revulsivas aplicadas mediante un ligero masaje, reducen su aparición.

– Cuando se producen al inicio de la temporada, se deben generalmente a una insuficiente preparación. Las de final de temporada se deben al cansancio. Los estiramientos deben practicarse más que nunca.

– Una posición defectuosa o una técnica errónea, son causas de aparición de calambres, ya que se fuerzan otros grupos musculares.

– Los esfuerzos deportivos intensos realizados a temperaturas muy altas, pueden causar calambres. La superabundante producción de sudor, conduce a un déficit de cloruro sódico y potasio. Será conveniente tomar bebidas saladas, ya que la ingesta de agua mineral no restablece por completo la pérdida de dichas sales minerales.

CONTRACTURA

La contractura muscular es la acción de contraerse varias o la totalidad de las fibras de un músculo. Esta contracción es de manera involuntaria y prolongada, no produciéndose ningún daño anatómico.

El músculo contracturado se caracteriza porque es sensible a la palpación. Presenta además un aumento de tono y a la palpación se nota un endurecimiento del músculo. El movimiento aumenta el dolor, y éste irá en función del número de fibras afectadas.

Cuando la contractura es mínima, el dolor desaparece al poco rato de iniciar una actividad física, para reaparecer y con mayor intensidad al finalizar la misma.

Por lo general, el dolor de la contractura aparece a las pocas horas de haber terminado el partido.

Causas

La principal causa que origina la contractura es la fatiga muscular. Una contusión mínima en pleno cuerpo muscular, a la que no se le haya dado importancia, puede ser también causa de una contractura.

Una elongación muscular nos dará como efecto secundario una contractura o una ruptura fibrilar.

Tratamiento

– Aconsejar reposo deportivo, que irá en función del dolor.
– Aplicación de calor, preferentemente húmedo.
– Si se aplican masajes, éstos deben comenzarse con roces superficiales y continuos y con presiones deslizantes y profundas, para continuar con amasamientos suaves y profundos. Si durante el masaje aparece dolor, se debe disminuir su intensidad.
– Los estiramientos suaves y sin contracción previa son efectivos.

CONTUSIÓN

El traumatismo directo es muy frecuente en el deporte de contacto y por consiguiente en el fútbol. No obstante y en general, la mayoría de contusiones no requieren tratamiento, salvo la aplicación de frío inmediato, pudiéndose reincorporar a la actividad física.

Uno de los traumatismos más frecuentes en el fútbol es la contusión a nivel de cuadríceps. Hemos de vigilar este traumatismo. La importancia de esta contusión nos vendrá dada por el grado de flexión de rodilla.

Una contusión leve permite al deportista flexionar la rodilla por encima de los 90 grados, aunque existe cojera en la deambulación. Una contusión de grado medio es la que no permite alcanzar una flexión de 90°. La contusión severa no sobrepasa los 45 grados de flexión.

Causas

En general, estos traumatismos se producen por un choque violento sobre el cuadríceps, cuando se encuentra en contracción. A veces, la intensidad de este traumatismo puede producir verdaderas rupturas musculares.

Tratamiento

Así pues, vista esta clasificación, el tratamiento inmediato que aplicaremos es el mismo para los tres grados. Parada en la actividad física y aplicación de hielo, con pierna elevada y efectuando un vendaje de compresión sobre el muslo.

Si se observa que existe una fluctuación, es conveniente remitir al lesionado a un Centro Hospitalario para que el médico vea la necesidad o no de evacuar el hematoma.

El calor y los masajes están totalmente prohibidos en cualquiera de sus modalidades. Por el contrario, la aplicación de masajes continuados o manipulaciones intempestivas pueden favorecer la aparición de la miosistis osificante.

ELONGACIÓN

La elongación es una lesión muscular sin daño anatómico y producida por un traumatismo indirecto.

El deportista describe un dolor de forma punzante y que le sobreviene de manera brusca. Le permite seguir la actividad física, aunque con cierta disminución de la misma. Se producen porque el músculo sobrepasa su límite de elasticidad, pudiéndose producir la lesión en el momento de máximo acortamiento muscular como en su máxima extensión.

Estas lesiones aparecen al efectuar un cambio de ritmo, un sprint largo, un salto, un chut, etc., es decir, en aquel movimiento que se le pide al músculo una contracción máxima y rápida.

Causas

Las causas más frecuentes son la fatiga muscular y el no calentamiento previo a la competición.

Tratamiento

Es aconsejable que abandone la competición y se le aplique frío. Pasadas las 24-48 horas se podrá aplicar calor húmedo, si se confirma que se trata de una elongación. Por lo general, el deportista se recupera en una semana.

De todas maneras, es muy difícil por no decir imposible, y más sobre el terreno de juego, el diferenciar una elongación de una ruptura fibrilar mínima, ya que ambas lesiones se producen de la misma manera y tienen una clínica igual.

Por consiguiente, ante una elongación, y después de haber efectuado el tratamiento de urgencia, es aconsejable remitirlo al día siguiente a un Centro especializado para que se controle la evolución de la lesión y poder aplicar así un correcto tratamiento.

RUPTURA FIBRILAR

La ruptura fibrilar, conocida por tirón, aparece al igual que en la elongación, al efectuar un cambio brusco de ritmo, al iniciar una arrancada, durante un sprint, etc., pero también como consecuencia de un traumatismo directo.

En general, el futbolista describe el momento de la lesión como un dolor vivo, intenso y penetrante (como una puñalada), que le provoca la parada inmediata de la actividad física. Si la ruptura fibrilar es mínima, puede seguir la competición, (le permite la carrera lenta, pero no el esprint). No obstante, se retira al poco rato.

El dolor persiste en las primeras horas aun estando en reposo. La contracción isométrica y el estiramiento son dolorosos.

La aparición de la equimosis a los pocos días dependerá de si la lesión es o no intersticial.

En general, esta equimosis aparece lejos de la zona donde existe la ruptura.

Causas

Las causas más frecuentes son las mismas que las que provocan la elongación muscular. El traumatismo directo es una buena fuente de rupturas fibrilares, siempre y cuando el músculo esté en contracción.

Tratamiento

Aplicar frío con la pierna elevada y aplicando al mismo tiempo un vendaje compresivo. A los 15 minutos retirar el hielo y volver a colocar un vendaje compresivo. Aconsejar al deportista que mientras no acuda al médico debe aplicarse frío, durante 15 minutos y cada 3-4 horas. En el período que no se aplique hielo, la pierna tiene que estar elevada y con el vendaje compresivo aplicado.

El calor y el masaje están completamente prohibidos.

Una práctica muy extendida entre los deportistas que sufren una ruptura fibrilar, es la de realizarse un autotratamiento. El deportista descansa una semana, luego realiza un entreno suave y ve que no tiene molestias, por lo que el próximo domingo juega. Al principio se encuentra bien, pero a medida que transcurre el partido y en un gesto banal, vuelve a notar el dolor en forma de puñalada y en el mismo sitio. Se ha producido la ruptura fibrilar, y puede ser que esta vez sea mayor el número de fibras afectadas.

Como norma, se debe tener presente que un deportista que ha tenido una lesión, sólo puede volver a la competición cuando ha superado con éxito los tests físicos recomendados.

La reincorporación se debe realizar de forma progresiva. Por ejemplo, en una lesión del recto anterior, los últimos ejercicios que realizará son los sprints largos y los chuts a balón parado. La sesión debe iniciarse con un buen calentamiento y a continuación realizar ejercicios suaves en los que intervenga directamente el músculo a tratar. Estos ejercicios irán aumentando en intensidad de manera progresiva. Si aparecen molestias, debe volverse a los ejercicios anteriores o suspender la actividad. Finalizaremos la sesión con estiramientos del músculo afectado y aplicación de frío.

Evolución

En general, y si se realiza un correcto tratamiento, evolucionan hacia la curación.

No obstante, y dejando de lado la miosistis osificante, las cicatrices fibrosas y los quistes, son las complicaciones más frecuentes, y se deben en general a un incorrecto tratamiento y a una vuelta demasiado precoz a los entrenamientos.

RUPTURA PARCIAL Y TOTAL

En las rupturas parciales o totales, al igual que en los desgarros musculares, se produce una impotencia funcional inmediata, prácticamente total. El dolor es muy intenso y se oye, en la mayoría de las veces, un chasquido. La movilización de las articulaciones vecinas es dolorosa. Aparece rápidamente una hinchazón.

La aplicación de frío combinado con un vendaje compresivo, así como una inmovilización de la articulación afectada, será el mejor tratamiento que se puede realizar inmediatamente.

Patología Tendinosa

Las lesiones tendinosas tienen una entidad propia. Aparecen de manera insidiosa, sorda, sin darse importancia y como permiten en un principio una total actividad física no se les presta mucha atención. Cuando nos damos cuenta ya es demasiado tarde. El tiempo de recuperación se doblará o triplicará en el mejor de los casos. No olvidemos que una tendinitis o entesitis mal tratada puede arruinar la carrera de un deportista.

Dentro de las afecciones del tendón podemos dividirlas en tres grupos:

– Las tendinitis propiamente dichas, que son aquéllas en las que la lesión se sitúa en el cuerpo del tendón.
– Las entesitis, cuya lesión está en el punto de unión entre el tendón y el hueso (patología inserccional).
– Las tenosinovitis, cuya afectación es de la vaina y no del tendón.

En el mundo del fútbol, las tendinitis y las entesitis, principalmente las de Aquiles y aductores son las más frecuentes y las que más desesperan al jugador.

TENDINITIS

Las tendinitis cursan con tres fases bien definidas.

En la primera fase se empiezan a notar las molestias una vez finaliza la actividad física, desapareciendo a las 24-48 horas. Como no se le da ninguna importancia y se sigue entrenando, iniciamos la segunda fase. En este período, comenzamos a notar dolor al iniciar el entreno o el partido, pero al cabo de unos minutos este dolor desaparece, para reaparecer al final del partido o a las pocas horas de haber finalizado. Al efectuar un descanso el dolor desaparece. Si se sigue, entramos en la tercera fase en la que iniciamos la actividad deportiva con dolor, a los pocos minutos disminuye, no desaparece, y al poco tiempo debemos abandonar la práctica deportiva porque el dolor lo impide.

Ésta sería en síntesis la progresión de una tendinitis que no se trata y que se deja evolucionar.

TENDINITIS AQUILEA

La tendinitis del tendón de Aquiles es la que quizás con mayor frecuencia se presenta en el futbolista.

Su inicio es progresivo y sigue las tres fases descritas anteriormente. Si el dolor es brusco e intenso, debemos pensar en una ruptura.

En la exploración presenta un dolor a la presión. Existe un entumecimiento matinal, que desaparece al andar durante 5 minutos. El edema y la tumefacción son raros. La contracción isométrica puede ser dolorosa. De todas maneras, nos guiamos por la evolución del dolor que nos explica el deportista (Figura 7).

Causas

Los factores que provocan la aparición de una tendinitis son múltiples y variados. Entre las causas más frecuentes, citaremos:

–Causas anatómicas.
– Causas metabólicas.
– Causas infecciosas.
– Causas ligadas a la actividad deportiva (Figura 8).
 • Aumento de la cantidad de entrenamiento.
 • Técnica deficiente.
 • Suelos duros o sintéticos.
 • Material incorrecto.
 • Entrenamiento mal dirigido.

– Otras causas
  • Humedad y frío.
  • Edad.

Tratamiento

Como no se trata de una lesión que aparece de forma brusca y violenta, sino que su aparición se produce de forma progresiva, a la menor sospecha que tengamos deberemos remitir al deportista a un centro especializado para que efectúen el diagnóstico.

De todas maneras, si sospechamos que puede tratarse de una tendinitis del tendón de Aquiles, aconsejaremos al deportista la aplicación de hielo y en el caso de que siga entrenando, la utilización de una talonera. Las aplicaciones de frío deben de ser de 15 a 20 minutos varias veces al día.

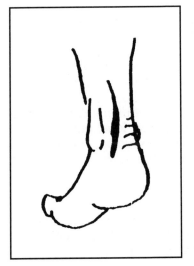 

Figura 7. *Tendinitis Aquilea.*   **Figura 8.** *Sesión de entrenamiento.*

En una segunda y tercera fase, deberemos suspender la actividad física y aconsejar la realización de un tratamiento correcto y adecuado.

La crioterapia es muy importante por su acción analgésica descongestiva y vasoconstrictora en un primer tiempo, para pasar a ser posteriormente vasodilatadora.

No obstante, debemos tener en cuenta que cualquier tratamiento que se aplique a una tendinitis, si no se tiene como primera regla el reposo, está condenado al fracaso.

Evolución

La evolución es sorprendente. Mientras unas evolucionan hacia la curación sin ninguna dificultad, otras, efectuando el mismo tratamiento, se manifiestan rebeldes y tienden a la cronicidad. Son lesiones que desesperan al deportista, al entrenador, al fisioterapeuta, al médico, y a cualquier persona vinculada con el atleta. No obstante, las recaídas y el paso a la cronicidad se deben fundamentalmente al no respeto al reposo.

TENDINITIS DE LOS ADDUCTORES

La tendinitis de los adductores es en realidad una entesitis, ya que la lesión está situada en el punto de unión del tendón con el hueso.

Se trata de una lesión realmente temida por los futbolistas, ya que puede hacer su aparición en el momento más inoportuno, y su evolución es muy irregular.

Puede aparecer de dos maneras totalmente diferentes. Generalmente, se instala de manera lenta y progresiva, igual que si de una tendinitis se tratara. Si no se trata, sigue la evolución y pasa por las tres fases descritas anteriormente, hasta que el dolor imposibilita cualquier tipo de actividad física.

Puede aparecer también, aunque es menos frecuente, como consecuencia de un gesto brusco, (una abducción forzada, un chut en mala posición, etc.). Se produce en el mismo momento un dolor intenso y vivo a nivel de la ingle que puede desaparecer al poco rato. En general, permite terminar el partido, para que a las pocas horas aparezcan unas molestias.

Si cuando aparecen los primeros síntomas, no se efectúa ningún tratamiento, y el deportista sigue entrenando, la tendinitis evoluciona rápidamente hacia la segunda fase. Los síntomas entonces son mucho más evidentes:

– Dolor a la presión.
– Dolor a la contracción isométrica.
– Puede existir dolor al toser.

– El dolor puede irradiarse a la cara interna del muslo.
– Dolor al estiramiento.

   Se le debe recomendar reposo y aplicaciones de frío, para seguir el tratamiento fisioterapéutico adecuado. El masaje transversal
profundo de Cyriax, los ultrasonidos, etc. son técnicas fisioterápicas que se aplican con gran frecuencia en estas lesiones, con las
que se consiguen buenos resultados.

   La osteopatía dinámica de pubis, aparece cuando habiendo
notado los síntomas anteriormente descritos, el deportista no ha
hecho ningún tratamiento, sólo reposo, o ciertos tratamientos in-
completos, que hacen que la lesión se esconda, pero que no desa-
parezca. Así, después de haber realizado estos "tratamientos", y
haber estado en reposo, a los pocos días de haber vuelto a la actividad física, aparecen de nuevo los dolores.

   En la osteopatía de pubis, las molestias son iguales que en la
tendinitis simple, un poco más acentuados van aumentando progresivamente no en intensidad, sino en cuanto a las actividades de
la vida diaria se refiere. Aparte del dolor al toser, o el dolor irradiado
a un testículo, aparecen las molestias al entrar o al salir del coche,
etc. De todas maneras, el diagnóstico definitivo nos lo dará la radio-
grafía.

   Ante un jugador que presente molestias a nivel de la ingle y de
varios días de evolución, recomendar reposo como primera medida
antes de que se le diagnostique para realizarle el tratamiento adecuado. Si esto se hiciera siempre, si cuando aparecieran los primeros síntomas, se realizara un correcto diagnóstico, muchas de estas
lesiones tan temibles para los jugadores apenas existirían.

Causas

   Las causas son comunes a las producidas por las tendinitis y
descritas en el apartado anterior. Podemos añadir que esta lesión
viene producida además por los driblings, por los chuts con la parte
interior del pie, etc. Una descompensación muscular entre la musculatura abdominal y la aductora, puede ser una causa de aparición
de una tendinitis.

   Cuando el jugador se ha recuperado de la lesión debe compro-
barse si existe tal desequilibrio para, en el caso de que exista, iniciar una terapia de potenciación para corregir la anomalía.

Tratamiento

En este tipo de lesiones, el reposo y el tratamiento fisioterapéutico son las mejores y más eficaces armas para combatir la lesión.

A modo de resumen, podemos decir que en las lesiones tendinosas, la aplicación correcta de frío es una terapia muy eficaz por el contrario, en la patología muscular, una vez hayan pasado 2-3 días de la lesión (en estos primeros días hay que poner siempre frío, a excepción de las contracturas y los dolores por fatiga), la aplicación de calor es mucho más efectiva.

Evolución

Hay que hacer hincapié en que la evolución de las lesiones tendinosas es muy caprichosa. Incluso efectuando el mismo tratamiento en una misma lesión, la evolución puede ser muy diferente. Así pues, hay que ser muy precavidos frente a estas lesiones, y no dejarle jugar si no han remitido todos los síntomas, y aun así, su vuelta a la actividad física debe realizarse de manera progresiva, y aplicando siempre frío una vez finalizada la lesión, aunque el deportista no note ningún tipo de molestias.

Patología ligamentosa

Los ligamentos son unos elementos no contráctiles que tienen por función estabilizar una articulación. En el deporte se fuerzan mucho las articulaciones, cada deporte tiene una biomecánica particular, unos gestos específicos que provocan pues, que estas articulaciones sufran, y que en un momento determinado se rompan estas "cuerdas" produciéndose la lesión.

El fútbol, por su biomecánica, presenta unas lesiones, si no típicas, ya que se manifiestan en otros deportes, sí frecuentes. La lesión del ligamento lateral externo de tobillo, junto al lateral interno y cruzado anterior de rodilla, son las lesiones ligamentosas que con mayor frecuencia vemos en los futbolistas.

Las lesiones ligamentosas las podemos agrupar en tres apartados:

Lesiones leves

En este tipo de lesiones no se produce daño anatómico. Produce un dolor de pocos minutos de duración, y que permiten terminar la competición sin ningún problema o a lo sumo con ligeras molestias. A las pocas horas aparece un dolor que incluso puede hacer cojear ostensiblemente. No obstante, el aspecto de la articulación afectada es normal, o como máximo puede presentar una ligera inflamación.

Menos grave

En este apartado ya existe una lesión anatómica. Se ha producido una ruptura parcial del ligamento, lo que provoca un dolor vivo e intenso y con percepción en muchos casos de un chasquido.

El jugador para inmediatamente. Aparece rápidamente una tumefacción a nivel de la zona lesionada. La equimosis aparece a los 2-3 días. Los movimientos en los que se estira el ligamento son muy dolorosos.

Graves

En este apartado se produce la ruptura total del ligamento, lo que produce una parada inmediata debido al fuerte dolor, así como a la percepción del chasquido. El dolor es vivo y muy intenso. A los pocos minutos el dolor disminuye ostensiblemente, para volver a aumentar a las pocas horas.

Esta sensación de anestesia es síntoma inequívoco de un lesión grave.

La tumefacción se instaura de manera rápida y la equimosis puede aparecer a las pocas horas.

Se observa una movilidad anormal de la articulación al forzar el movimiento que ha producido la lesión.

Causas

Estas lesiones son debidas a los traumatismos directo o indirectos que recibe la articulación, cuando los ligamentos están en la máxima tensión, debido a los gestos forzados que se deben adoptar en la práctica deportiva.

Si han sido mal tratadas pueden conducir a que se produzca una inestabilidad articular, lo que nos conducirá a los típicos "esguinces repetitivos".

Las atrofias musculares producidas como consecuencia de lesiones anteriores no tratadas adecuadamente, hacen que esta articulación se encuentre desprotegida, y por consiguiente propensa a la lesión .

Tratamiento

El tratamiento que aplicaremos en el terreno de juego será el siguiente:

En los casos leves, la simple aplicación de frío en spray será suficiente para que el deportista siga la competición. La aplicación de un vendaje funcional como medida preventiva puede ser adecuado y conveniente.

En las lesiones menos graves o graves, se aplicará frío (bolsas de frío instantáneo, cubitos de hielo, etc.) y realizando al mismo tiempo un vendaje compresivo que irá de la zona distal a la proximal, debiendo remitir al lesionado a un centro hospitalario para confirmar el diagnóstico, así como descartar otras lesiones que puedan asociarse.

Con referencia al frío, debemos tener presente que el frío en spray sólo enfría la piel, es decir, muy superficialmente, lo que quiere decir, que cuando se ha producido una lesión y queremos enfriar en profundidad, este tipo de frío es inútil, Debemos emplear los otros sistemas que disponemos: los cubitos, los cold packs, las bolsas de frío instantáneo o el hielo picado.

Para lograr el enfriamiento de la zona dañada, debemos mantener el hielo o las bolsas frías durante un mínimo de 15 minutos.

Debemos tener presente que tanto las bolsas como los cubitos, no debemos aplicarlos directamente sobre la piel, sino que tenemos que interponer un pañuelo, por ejemplo, ya que de lo contrario podríamos producir quemaduras por frío.

ESGUINCE DE TOBILLO

La palabra esguince se emplea en la patología ligamentosa para indicar que este ligamento ha sufrido un estiramiento, y que en función de la intensidad de este estiramiento se ha podido producir una lesión de menor a mayor gravedad (Figura 9).

Los esguinces de tobillo son muy frecuentes en prácticamente la totalidad de deportes.

El ligamento lesionado con mayor frecuencia es el lateral externo y principalmente el peroneo-astragalino anterior (Figura 10).

Se producen al forzar el tobillo en una posición de equino-varo, lo que pone en tensión el ligamento.

En el esguince leve el jugador, tras unos minutos de dolor, reemprende la actividad sin problemas. La aplicación de frío es el tratamiento que realizaremos sobre el terreno de juego. Si persistieran unas ligeras molestias, sería conveniente aplicarle un vendaje funcional, como medida preventiva para evitar otro esguince motivado por el dolor. En las lesiones menos graves y graves, veremos que al quitar la bota, ya existe cierta tumefacción a nivel del maleolo externo, lo que nos indica la existencia de una ruptura ligamentosa. La aplicación inmediata de frío, junto con un vendaje compresivo y la deambulación en descarga serán las medidas que adoptaremos antes de remitirlo a un centro sanitario, donde nos confirmarán la gravedad de la lesión.

Algunas veces se requieren tratar estos esguinces de manera empírica, sin saber que en algunas ocasiones estas lesiones no están solas, sino que se asocian, y con frecuencia, con otras lesiones que pasan desapercibidas al no ser diagnosticado adecuadamente. Fracturas de la base del quinto metatarsiano, fractura del maléolo interno, arrancamiento óseo, ruptura de la sisdesmosis son, entre otras, lesiones que pueden ir asociadas con la ruptura del ligamento lateral externo del tobillo.

Figura 9. *Ruptura parcial del LLI del tobillo.*   **Figura 10.** *Ruptura total del LLE del tobillo.*

En general, las lesiones leves se recuperan en un período que oscila entre 5 y 8 días. Las menos graves, que en general se tratan con botina de yeso o con un vendaje funcional mixto, entre 15 y 20 días. Las graves son intervenidas quirúrgicamente, con posterior aplicación de un vendaje enyesado durante 5 semanas. Últimamente se está aplicando un vendaje enyesado durante 2 semanas, y un vendaje funcional durante tres semanas. Este tratamiento combinado tiene una gran ventaja, ya que nos permite empezar a realizar el tratamiento fisioterápico a las dos semanas, con lo que al llegar a la quinta, el tobillo estará en perfectas condiciones para iniciar la vuelta a la actividad deportiva.

Al iniciar la actividad física se aconseja que se le coloque un vendaje funcional de prevención. Al finalizar la sesión de entrenamiento, la aplicación de frío durante 15 minutos es necesaria.

ESGUINCE DE RODILLA

Con el nombre genérico de esguince de rodilla se conoce la lesión de los ligamentos laterales de la rodilla, aunque en el fútbol y por su biomecánica, sea el interno el que con mayor frecuencia se lesiona.

Los tres estadios descritos con anterioridad sirven perfectamente en este apartado.

En la lesión leve el deportista nota un pinchazo que le ocasiona un dolor en forma punzante, pero que desaparece en pocos minutos. La aplicación de frío en spray será suficiente para que el jugador prosiga la competición. Si las molestias persisten, es preferible que abandone. La colocación de un vendaje funcional no le garantiza, al contrario que en el tobillo, una estabilidad de la articulación.

En el menos grave, se produce un dolor fuerte e intenso que provoca una parada inmediata. El valgo de rodilla es doloroso y aparece una ligera tumefacción. Existe dolor a la presión y la rotación externa de rodilla es dolorosa. La extensión total produce dolor. A las pocas horas se instaura un derrame articular.

En el grave se presentan los mismos síntomas pero más acentuados. El valgo forzado no es tan doloroso debido a la fase de "anestesia" que aparece a los pocos minutos, pero se aprecia un aumento de la movilidad de la rodilla al efectuar el valgo. La rotación externa de rodilla es dolorosa. El derrame se instaura rápidamente, lo que nos indica la gravedad del cuadro. La aplicación de frío, el vendaje compresivo, inmovilizando al mismo tiempo la rodilla, será el tratamiento de urgencia que efectuaremos en el campo.

Al realizar la inmovilización, procurar que la rodilla esté en ligera flexión, para relajar el ligamento lesionado.

Al igual que en el tobillo, es imprescindible que se efectúe un buen diagnóstico, ya que estas lesiones pueden acompañarse de lesiones meniscales, de los cruzados, de fracturas condrales, etc.

Los esguinces menos graves se tratan con un yeso cruropédico, durante un mínimo de tres semanas. Los esguinces graves son quirúrgicos. La fisioterapia va a tener un papel importantísimo en la posterior recuperación.

Una vez vuelva a la actividad deportiva, debe iniciar los ejercicios con carrera lenta, footing y sobre terreno blando, para progresivamente ir aumentando la participación del ligamento lesionado en los ejercicios. El uso de un vendaje funcional los primeros días puede sernos de gran ayuda. Al igual que en la mayoría de lesiones se debe de aplicar frío durante 15 minutos al finalizar la sesión de entrenamiento.

RUPTURA DEL LIGAMENTO CRUZADO ANTERIOR

Aunque su frecuencia es superior en otros deportes, como por ejemplo en el esquí, son bastantes los futbolistas que sufren la ruptura total o parcial del ligamento cruzado anterior.

Los movimientos típicos en el fútbol, como el dribling, el chut, hacen que la rodilla se encuentre en flexión, en varo y en rotación externa, lo que provoca una tensión de estos ligamentos (lateral interno y cruzado anterior). Cualquier traumatismo, tanto intrínseco como extrínseco, estando la rodilla en esta posición, hace que se lesionen, pudiendo ir desde una ligera distensión sin daño anatómico, hasta una ruptura total.

El jugador lesionado, además del dolor, puede notar y describir una sensación de fallo, de inestabilidad de rodilla. El tratamiento será el mismo que para la lesión del ligamento lateral: hielo, compresión e inmovilización con la rodilla en ligera flexión para su traslado a un centro hospitalario.

LESIONES MENISCALES

La ruptura del menisco es una lesión muy frecuente en el fútbol. La biomecánica de este deporte, así como la situación y función que tienen los meniscos, hace que su patología sea muy frecuente entre los deportistas.

El giro de rodilla o rotación hacia dentro o fuera, estando el pie fijo en contacto con el suelo, es quizás, el movimiento que con mayor asiduidad ocasiona la lesión meniscal.

El jugador nota un pinchazo en la rodilla que en general le obliga a interrumpir la actividad deportiva durante algunos minutos. La aplicación de frío (cold pack, o cubitos) combinado con un vendaje compresivo y la suspensión de la actividad deportiva es la actitud a seguir.

Al día siguiente, o a las pocas horas, aparece un derrame sinovial (si aparece inmediatamente se trata de un derrame hemático y hay que sospechar de otra lesión).

Existe una sensibilidad dolorosa en la interlínea de la rodilla, así como un dolor localizado en la zona que aumenta al efectuar movimientos de rotación de rodilla. Puede aparecer también una dificultad a la extensión total de rodilla, y con menor frecuencia una imposibilidad de extenderla.

La visita por un traumatólogo nos indicará la gravedad o no de la lesión. La cirugía será el tratamiento adecuado en las rupturas meniscales. En la actualidad la cirugía artroscópica ha acortado el período de recuperación, lo que facilita una pronta incorporación del deportista a la actividad física.

En el caso de pinzamiento, la terapia física antiinflamatoria realizada por el fisioterapeuta, así como el fortalecimiento del cuadríceps, sin olvidarnos de otras técnicas, será el tratamiento a seguir.

Lesiones del futbolista joven

En los deportistas jóvenes aparecen una serie de molestias en unas zonas muy concretas y determinadas, y sin motivo aparente, que son fuente de preocupación para los entrenadores y padres (Figura 11).

Se trata de lesiones muy frecuentes y que reciben diferentes nombres; epifisitis, apofisitis osteonecrosis asépticas, y denominadas con mayor frecuencia, enfermedades del crecimiento.

En el futbolista joven, el talón y la rodilla son las zonas en las que con mayor frecuencia aparece esta lesión.

Clínica

Aparece entre los 8 y 14 años en los jóvenes que realizan un entrenamiento regular. En un tanto por ciento elevado es bilateral y tiene un comienzo idéntico que las tendinitis.

Se inicia el dolor después de la actividad física y siempre sin motivo aparente. Como cede con el reposo, el niño no dice nada y sigue entrenando, por lo que el dolor va instaurándose, apareciendo ya al inicio del entreno. Con el calentamiento desaparece para volver a presentarse al final del mismo o al poco rato de finalizar. Si se sigue, el dolor se hace intenso, lo que impide la práctica deportiva.

En el caso de que sea unilateral, debe efectuarse una presión sobre la otra rodilla o tobillo, ya que muchas veces sólo duele al presionar.

En algunos casos, se aprecia una tumefacción a nivel de la insercción del tendón rotuliano a nivel de tibia, que no hace màs que confirmar el diagnóstico.

La evolución es benigna, observando simplemente el reposo deportivo.

Tratamiento

El tratamiento debe basarse única y exclusivamente en el reposo y en la crioterapia.

En la primera y segunda fase, la aplicación de frío después del entreno, así como una disminución de la actividad en los entrenamientos, en función de las molestias, será suficiente como para que desaparezcan. En algunos casos puede ser necesario la suspensión de la actividad durante algunos días. En la tercera fase se impone la suspensión total de las actividades y favorecer la evolución con un tratamiento fisioterápico adecuado.

En las lesiones que se localizan en el talón[1], denominada enfermedad de Sever, la colocación de una talonera nos será beneficiosa.

En las situadas en la rodilla[2], denominada enfermedad de Osgood Schlatter, el vendaje funcional efectuando una ligera presión a nivel del tendón, será una medida a utilizar.

---

[1] Inserción del tendón de Aquiles
[2] Inserción del tendón rotuliano

***Figura 11.** Fútbol-Base.*

Los estiramientos de los isquiotibiales y tríceps sural son una buena terapia no sólo como tratamiento de ayuda para disminuir el dolor, si no para evitar la aparición de estas "enfermedades".

Se ha observado que un tanto por ciento elevado de niños que tienen estas molestias, presentan un acortamiento de estos músculos.

Como resumen de lo expuesto anteriormente sobre la prevención de lesiones, podemos enunciar el siguiente Decálogo:

Decálogo de la prevención

1. Calentamiento antes de efectuar cualquier actividad física.
2. Recuperación correcta del esfuerzo.
3. Dieta alimenticia correcta.
4. Correcta rehidratación durante el esfuerzo.
5. Revisión dental una vez al año.
6. Tratamiento precoz de todas aquellas lesiones, por pequeñas que sean.

7. Uso correcto de las prendas de vestir. Uso de medidas protectoras.
8. Higiene de los pies.
9. Musculación adecuada y adaptada al deporte.
10. Uso correcto del calzado, así como mantenimiento del mismo.

BOTIQUÍN DE PRIMEROS AUXILIOS

La composición del botiquín de primeros auxilios tiene una gran importancia, ya que de lo que en él llevemos dependerá la efectividad de nuestra atención de urgencia.

Se debe reponer después de cada partido o entreno. ¿Cuántas veces hemos buscado algo y no lo hemos encontrado?

En el botiquín debemos llevar lo imprescindible para efectuar una atención de urgencia, además de aquellos elementos que se necesitan en el vestuario.

El botiquín mínimo que debe llevar cualquier equipo deportivo, aun sin contar en su plantilla con un profesional, debe estar compuesto por:

– Jabón líquido.
– Gasas.
– Vendas de varias medidas.
– Alcohol yodado.
– Esparadrapo.
– Tiritas.
– Algodón.
– Pinzas y tijeras.
– Spray de frío.
– Bolsas de frío instantáneo.
– Vendas elásticas no adhesivas.
– Crema de masaje.
– Cremas favorecedoras de calor.
– Tape y pre-tape.
– Venda elástica adhesiva de varias medidas.
– Aspirinas.
– Guantes.

Hay varios tipos de botiquín. En función del uso que le vayamos a dar, podemos escoger entre uno que sea metálico (Figura 12), que va a resistir más los golpes que se producen en los desplazamientos, o los que están fabricados con material textil, más o menos consistentes.

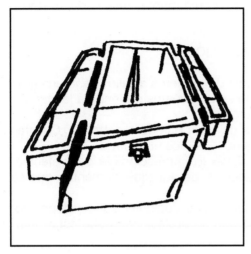

Figura 12.

CAPÍTULO 10

EL ENTRENADOR COMO EDUCADOR

INTRODUCCIÓN

El presente capítulo está dirigido a aquellos entrenadores de fútbol que trabajan con jugadores cuyas edades están comprendidas entre los 8 y 14 años. Por lo tanto, partimos de la premisa que estamos tratando con deportistas que se encuentran en una etapa evolutiva concreta: infancia y primeros estadios de la adolescencia.

Consecuentemente, el objetivo que se propone en el presente capítulo es transmitir la importancia que tienen determinados aspectos sobre la motivación de los deportistas y que, el entrenador debería conocer y tener en cuenta cuando pretende realizar su función como enseñante con la máxima eficacia.

Partimos de una breve exposición sobre las principales características evolutivas de la infancia y adolescencia para introducir, seguidamente, algunos factores presentes en la motivación que podría englobar el entrenador en su aproximación como educador de los muchachos que integran el equipo que dirige.

El patrón descrito en cada etapa está abierto a un gran margen de variabilidad, y en ningún momento debe ser tomado como una pauta inflexible, ya que las características evolutivas que se concretan son solamente orientativas.

CONSIDERACIONES EVOLUTIVAS DE LA INFANCIA

Aproximadamente entre los 6-7 años y los 12 nos encontramos en un período que llamaríamos de las operaciones concretas.

Lo más importante es el orden de adquisición de los progresos, más que la edad en que se asimilan éstos. Ejemplo: primero se aprende a andar y después a chutar. Las edades son meramente orientativas pero la secuencia de adquisición ha de ser constante.

En cada estadio se integra lo que se ha aprendido en el estadio anterior.

NIVEL FÍSICO-MOTOR

Coincide con una etapa de desarrollo físico. Por lo tanto, el trabajo que se realiza en este momento es sumamente importante.

En otros capítulos de este libro se tratan aspectos sobre el desarrollo físico-motor por lo cual, aquí tan sólo haremos referencia a un aspecto concreto.

Cuando el entrenador trabaja con edades tempranas debe intentar realizar un trabajo lo más individualizado posible, adecuando el nivel a la globalidad del grupo y atendiendo a las diferencias individuales.

Ejemplos

– Existen niños con determinadas dificultades de coordinación ("niño patoso").

Es necesario presentarle actividades adecuadas con las que pueda alcanzar el éxito (para mantenerlo motivado). No podemos pretender de él una manifestación demasiado exigente.

– Puede haber niños que fallen precisamente porque tienen un pobre concepto de sí mismos generado por el castigo social que le imponen sus compañeros por la falta de pericia deportiva (se burlan). Si se trabaja a nivel de mejorar la coordinación motriz, puede experimentar una mejora a nivel general.

FACTORES COGNITIVOS

Esta etapa, como se ha dicho, corresponde a las operaciones concretas. Esto quiere decir que la información que damos a los niños tiene que ser muy clara. Si es preciso, podemos utilizar la ayuda de dibujos, modelos, etc. para facilitar la comprensión de la información.

Además, debemos procurar que el niño experimente por sí mismo todo aquello que queremos que aprenda.

El conocimiento es fruto de la acción del sujeto sobre el medio.

Ejemplo

– El niño dominará las situaciones del 2:1 si experimenta la situación, mejor que si el entrenador se las explica.

Como ya es sabido, el desarrollo cognitivo espontáneo y natural, recibe la influencia del medio y por lo tanto, de las actividades que se realizan.

El aprendizaje es un proceso constructivo interno:

– Para aprender, el niño ha de experimentar los contenidos por sí mismo. Las propias actividades cognitivas son las que determinan el aprendizaje.

– Lo que el niño puede aprender depende de su nivel de desarrollo.

– Las contradicciones o conflictos cognitivos juegan un papel importante como motores del desarrollo, y por lo tanto, también del aprendizaje.

Ante la contradicción, el niño modifica esquemas previos para adoptar una nueva conducta adaptada.

– La experiencia física juega un importante papel en el aprendizaje, de modo que, los niños pueden resolver correctamente problemas o situaciones aunque no sepan explicar el por qué.

Partiendo de todo esto, el entrenador:

– Debe plantear sesiones que propicien la búsqueda de situaciones, dejando que los niños investiguen y resuelvan. Que creen.

Plantearlo de modo que vayan desarrollando habilidades, ensayando, y ante los errores se llegue a percatar de otras acciones más eficaces.

Nos interesa el desarrollo del niño y facilitarle estímulos agradables para fomentar la continuidad en un futuro en el que se le podrá "bombardear", si es necesario, con más información.

Todo esto hace recomendable un trabajo a nivel de juegos de fútbol y juegos correctivos, así como un tipo de competición adecuada que se corresponda con fútbol de 4 (6-7 años), de 7 (8-9 años), de 9 (10-11 años).

La memoria

El recuerdo en el niño es superior cuando se trabaja en condiciones naturales y con tareas en las que están interesados y comprometidos.

Todo esto lleva a recomendar al entrenador que tenga en cuenta la importancia de:

• El tipo de tarea que se realiza.
• La manera de estructurar las sesiones.
• Los objetivos fijados.

Resumiendo estos tres parámetros en una palabra: motivación.

No debe olvidar tampoco tener en cuenta los conocimientos previos de los jugadores como medio facilitador de la captación y retención de contenidos.

EL LENGUAJE

El entrenador debe dar información simple y sencilla. Debe utilizar los términos técnicos que el niño pueda comprender de acuerdo a su nivel de desarrollo verbal.

Por ejemplo: en lugar de hablar de una conducción rápida o lenta con cambios de ritmo, etc., podemos hablar de llevar la pelota de este lugar a aquel otro, más rápido que el contrario.

Debemos también ir con cuidado de no dar instrucciones complejas que requieran un nivel de estructuración cognitiva o mental superior al que el sujeto puede llegar a dominar. Con esto, insistimos en que haya una adaptación de la información y de las instrucciones.

A partir de los 6 años el niño es capaz de conocer lo que sabe, de valorar qué conoce.

Partiendo de aquí, si el entrenador fomenta la autoevaluación y análisis de las actuaciones, propiciará el aprendizaje puesto que habrá mayor interiorización.

FACTORES SOCIALES

A lo largo de la infancia, el niño desarrolla nociones de clase, lo cual implica nociones de pertenencia a un grupo.

• El niño a los 6-7 años: aún tiene una concepción física y activa del yo (valora al compañero que marca goles, al más alto, etc.).

No distingue claramente entre realidad externa y experiencia psíquica interna (le cuesta entender que las cosas no sean tal y como él las ve).

• A los 8 años: prevalece una concepción psicológica del yo, con lo cual sitúan las diferencias entre las personas en función de los afectos individuales más que en las acciones (puede sentir más simpatía por un niño que por otro aunque marque menos goles). Se ha producido un cambio de una perspectiva física a una perspectiva psicológica respecto a los 7 años.

Nos estamos adentrando en el campo de la actuación del entrenador, quien debe tener en cuenta que su actuación produce un efecto en las valoraciones del niño. Ejemplo: si lo riñe o anima después de fallar una acción.

En este momento el niño se encuentra al inicio de la actividad colectiva bien coordinada y sostenida. Aún no comprende las reglas complejas con lo cual, los juegos con balón están lejos de la ortodoxia y, a menudo, dependen de reglas improvisadas al momento. No obstante, tienen una conciencia definida del grupo como grupo (equipo) al que pertenece y al que debe algo. Es decir, el niño sabe que pertenece al equipo pero todavía no es capaz de mantener un elevado grado de disciplina.

• A los 9 años: muestra mayor competencia como miembro del equipo que como individuo. Se produce un paso hacia adelante que prepara al niño para la participación en deportes de equipo.

• A los 10 años: gran interés por los temas de ámbito social. Así mismo, manifiesta gran interés por la formación de grupos en cuya tendencia hay una gran carga de idealismo. En los juegos colectivos, se suelen separar voluntariamente los niños y las niñas.

El niño a esta edad está ya más preparado para participar en deportes de equipo.

Atendiendo al proceso evolutivo que sigue un niño respecto a la capacidad de participar en deportes colectivos, tiene lugar una progresiva pérdida de la tendencia egocéntrica para irse transformando en un ser cada vez más social, abierto a la participación en grupos y a la colaboración y cooperación con otros niños.

Es necesario que el entrenador se plantee cuáles son las características de los niños en este sentido, y tenerlas en cuenta cuando organiza los diversos juegos de fútbol. Así, un ejemplo concreto: con un grupo de 6 años, si se tienen medios será conveniente que se pueda disponer de un balón para cada niño.

FACTORES AFECTIVOS

A los 8 años, el niño es sumamente sensible. Se ofende fácilmente y llora a menudo, sobre todo cuando está cansado. Necesita una constante atención del entrenador y que éste lo elogie muy frecuentemente. Esto nos está indicando la importancia de individualizar tanto como sea posible los entrenamientos, dentro de la limitación que comporta en este sentido el tratarse de un deporte de equipo.

Los intereses son de corta duración con lo cual, la capacidad de atención será también corta. Esto lleva a recomendar la utilización de gran variedad de juegos, cuya duración no sea muy larga, en la sesión de entrenamiento.

A los 9 años, el niño no necesita un elogio tan constante como el de etapas anteriores. Se siente seguro y responsable y le gusta que depositen confianza en él. No le gusta que le traten como a un niño pequeño pero, evidentemente, tampoco puede ser tratado como un adulto. Su capacidad de atención aumenta, con lo cual los juegos o ejercicios pueden incluir más repeticiones.

Los 10 años representan la etapa de mayor equilibrio evolutivo. Es la culminación de una década de vida infantil y se abre paso a la vida adolescente. Representa un año de transición en el que el niño asimila y consolida todos los aspectos que se han desarrollado durante los años anteriores y, por otro lado, no se dejan sentir todavía las tensiones de la adolescencia.

Por lo general, el niño suele ocasionar pocas dificultades al entrenador.

Los períodos de atención son cortos e intermitentes, por lo tanto las sesiones deben seguir incluyendo gran variedad de actividades.

Podemos intuir pues que, a nivel afectivo, hay una integración de los otros factores: físico, social y cognitivo. Por lo tanto, será importante adaptar el enfoque de los entrenamientos y competiciones a nivel físico, cognitivo y social en función de las características de los miembros del equipo para evitar efectos negativos a nivel emocional.

Una recomendación práctica consiste en intentar que los niños acaben la sesión de entrenamiento siempre con sentimientos agradables. Así pues, incorporar un tipo de actividad gratificante al final de la sesión puede ser una medida que incida de forma positiva en el grado de motivación de los niños.

Ejemplo: acabar la sesión con un partido.

Algunas consideraciones sobre la adolescencia

Podríamos decir que la adolescencia comienza con cambios físicos y acaba con cambios y/o adaptaciones culturales. En cierto modo, representa un puente entre la pubertad y la edad adulta.
· A partir de los 11 años se abre la puerta a la adolescencia. Propiamente, se trata de una etapa puberal dado que, fundamentalmente se producen cambios físicos, y los cambios conductuales tienen su origen en las transformaciones del organismo más que en patrones culturales.

El muchacho se vuelve rebelde puesto que quiere afirmar su personalidad. Prefiere contradecir a responder. Muestra cambios emocionales extremos, pudiendo fácilmente pasar de un ataque de risa a un estallido colérico, de forma repentina. En este sentido, el fútbol puede representar una válvula de escape ya que implica el paso de un momento de suma tensión y lucha a un momento de extrema alegría y satisfacción, por ejemplo. Con ello facilita la liberación de los sentimientos extremos del muchacho.

Por consiguiente, el entrenador que trabaja con muchachos de 11 años obtendrá mejor respuesta si propone que si impone.

A los 12 años, se producen algunos cambios favorables respecto al año anterior. Representa un paso importante hacia la sociabilidad. Decrece la confianza en las presiones directas para reafirmarse, con lo cual, el muchacho se torna, por lo general, menos insistente y más razonable. No hay que olvidar que el crecimiento hacia la edad adulta es progresivo y, consecuentemente, existe cierta inestabilidad. De esta forma, con facilidad, se puede pasar de un espíritu colaborador típico del adulto a la manifestación de caprichos infantiles. No obstante, la capacidad de auto-control emocional es superior a la del niño de 11 años.

Por otro lado, se experimenta un crecimiento intelectual que representa un avance importante hacia el pensamiento conceptual. Esto implica que se puede empezar a introducir información sobre aspectos o acciones concretas.

A los 13, podríamos decir que la adolescencia está ya bien iniciada. Surgen nuevas facetas de la conducta. Algunas claramente manifiestas y otras que pueden pasar inadvertidas debido a que el muchacho no es siempre abierto y comunicativo. Retrayéndose, a veces, debido a que está interiorizando a la vez que se extiende hacia la cultura. Suele ser muy sensible y experimentar altibajos de estado de ánimo.

Empiezan a evidenciarse las diferencias individuales.
Debemos dar un trato al muchacho que conlleve gran consideración y comprensión.
A partir de ahora nos introduciremos en la etapa adolescente propiamente dicha, con los 14 años.
Es ésta una etapa llena de posibilidades, pero rodeada, a su vez, de una problemática importante.

NIVEL FÍSICO

Tienen lugar una serie de cambios bruscos en el cuerpo del adolescente que conducen a la necesidad de reestructurar el esquema corporal.
El fútbol puede ser un buen medio para ayudar al adolescente a acostumbrarse a las nuevas longitudes de sus miembros, al peso y al desarrollo de la fuerza, fundamentalmente. Y, en definitiva, a integrar el nuevo esquema corporal.

NIVEL COGNITIVO

Se pasa de la manipulación de objetos a la manipulación de ideas. Esto representa el acceso al mundo abstracto y a la utilización de "conceptos". Esto quiere decir que el jugador será ya capaz de sacar conclusiones de su juego y asimilar las orientaciones que les da el entrenador.
A los 14 años se pueden entender ya conceptos abstractos. Y es el momento en que la capacidad memorística alcanza su máximo nivel.
A los 13-14 y 15 años los muchachos tienden a observar, analizar y sintetizar (razona por qué una acción es mejor que otra) siendo capaz de analizar rápidamente las posibilidades en una determinada jugada, y elegir la mejor.

NIVEL SOCIO-AFECTIVO

El intenso deseo de emancipación y diferenciación del adolescente encuentra lugar en los deportes de equipo y en el fútbol, como tal. Este deporte les permite encontrar un nuevo grupo donde integrarse con unas inquietudes parecidas y brinda la posibilidad de destacar en el conjunto, e incluso, de conseguir cierto grado de popularidad.

Al margen de lo relatado hasta el momento, cabe recordar que el jugador de fútbol, como adolescente, no escapa a la problemática que implica esta etapa.

Fácilmente se puede observar inestabilidad emocional, disminución de la perseverancia, fluctuación de la atención, inadecuada autovaloración, oposicionismo polémico e incluso deseo de protección y dependencia.

Todo ello puede comportar ciertas dificultades tanto al joven como al entrenador. Por esta razón, el entrenador debe conocer las características particulares del grupo que dirige y no olvidar que cuando éste esté constituido por jóvenes, cuyas edades se correspondan con las referenciadas en el presente apartado, tendrá que invertir especial esfuerzo hacia la comprensión y, como siempre, adaptar el tipo de entrenamientos y competiciones.

Por otro lado, debe tener siempre presente que, como entrenador, está contribuyendo al proceso educativo del adolescente y que el aprendizaje de éste tendrá sentido siempre que sea significativo, automotivador y basado en la experiencia. Así pues, el entrenador debe proponerse ser un facilitador y regulador de determinados aspectos. Algunas cuestiones a considerar son que:

– Puede ayudar al muchacho a verificar y aclarar objetivos y motivaciones hacia el fútbol. (Ejemplo: dónde quiere llegar y por qué...)
– Puede contribuir a crear un clima que favorezca la maduración de la experiencia (evitando situar al deportista como elemento pasivo del proceso educativo). Por ejemplo, proponiendo que el propio jugador determine los errores y correcciones adecuadas a cada acción.
– Debe considerarse como un medio a disposición del grupo. Por ejemplo, manifestando interés como soporte a los problemas que se plantean en el grupo o en el individuo.
– Debe buscar los medios y condiciones que favorezcan el aprendizaje, adaptándose a las necesidades y capacidades de los muchachos.
– Debe aceptar el funcionamiento emocional de la adolescencia, respetando las expresiones de su afectividad. Por ejemplo, evitando la burla o ridiculización.

Finalmente, no quisiera acabar este apartado sin mencionar la vital importancia que tiene el papel del entrenador en este momento evolutivo, clave para la continuidad en el deporte. Así, el entrenador puede ser un filtro a los abandonos del deporte que se producen en esta etapa.

La motivación en el deporte

La motivación es un fenómeno complejo, estar motivado implica generalmente el deseo de alcanzar ciertos objetivos que puedan satisfacer nuestras necesidades. Vulgarmente, se traducirá en un "tener ganas de ..." o "tener gran interés por ...".

La motivación influye sobre lo que hacemos, sobre el tiempo que dedicamos (si podemos escoger) y sobre lo bien que lo hacemos.

En una elección libre, las actividades en las que decidimos participar reflejan una motivación hacia ellas. Por ejemplo: el niño que llega a la escuela de fútbol, en principio, cabe esperar una motivación hacia este deporte. Si lo ha escogido él, se ha decidido por el fútbol y no por el baloncesto, tenis, atletismo o cualquier otra actividad.

Hay que aprovechar esta motivación con que llega el niño para mantenerla e incluso aumentarla. Adecuar los entrenamientos a la edad, nivel e intereses del niño sería un primer paso para conseguir tal propósito.

Cuanto más motivado está el niño hacia una actividad, más practicará en la misma. Esto se traducirá en una actitud activa y colaborativa por parte de los alumnos: interés por seguir los entrenos, seguir las indicaciones del entrenador, asistir a las sesiones de entrenamiento, etc.

La tarea del entrenador tiene una importancia relevante en relación a fomentar estas actitudes. El planteamiento de las sesiones de entrenamiento y el tipo de actividades y la forma de proponerlas será un elemento decisivo sobre la motivación del niño hacia esas actividades.

El niño aguantará mejor la práctica si tiene cierta motivación hacia ella. Por ejemplo, si el niño está poco motivado la puede percibir fácilmente, como larga y fatigante. Puede buscar excusas para interrumpirla: "Hoy me tengo que ir antes", "no puedo seguir porque me he hecho daño", "estoy muy cansado", etc.

Puede ayudar a conseguir unos entrenamientos más motivantes, conocer los aspectos que se exponen a continuación y ser consciente de los efectos que pueden producir antes de aplicarlos.

NIVELES DE MOTIVACIÓN

Existen diferentes niveles de motivación. Éstos tienen que ser óptimos.

Es deseable un estado muy despierto pero controlado. Es decir, el hecho de estar motivado, en principio, es positivo pero siempre y cuando esta motivación no alcance un nivel tan elevado que distorsione la capacidad de concentración.

Con la práctica se puede aprender a mantener un estado de motivación antes y durante la actividad., ya que como vemos, el típico dicho "cuanta mayor motivación mejor" no es del todo cierto. Por lo tanto, un estado de sobremotivación puede distorsionar la atención. Y, si tenemos en consideración que a las edades con las que trabajamos es difícil alcanzar este grado de control, podríamos contar con la siguiente recomendación:

– Si los alumnos están excesivamente motivados, esperemos a introducir los elementos que requieran cierta atención y/o concentración, en un momento más adecuado.

Por ejemplo: Nos hemos planteado un tipo de juego para la sesión. Previamente queremos dar algunas explicaciones que requieren la atención de los alumnos. Pero hoy estrenamos baloness y los niños están tan motivados por entrenar que no pueden prestar atención a nuestras indicaciones. Dejemos que jueguen, que estrenen los balones y cuando su nivel de motivación sea más adecuado introduciremos la tarea programada.

Por lo tanto, concluir este punto remarcando que un nivel de motivación alto conduce a mayores posibilidades de persistencia y esfuerzo en una actividad. Ahora bien, la motivación tiene que ser adecuada (óptima) para mejorar la actuación.

TIPOS DE MOTIVACIÓN

La motivación puede aparecer de diversas maneras, es decir, las fuentes que inducen al surgimiento de la motivación pueden ser de diferentes tipos. Básicamente, distinguiremos dos clases de fuentes que inducen a los siguientes tipos de motivación:

a) Motivación interna o intrínseca: Ésta tiene lugar cuando se hace algo por diversión, para desarrollar la habilidad o para sentirse realizado. Es decir, la motivación nace del propio individuo, quien para satisfacer una necesidad siente una motivación hacia un objetivo, actividad, etc.

Por ejemplo: El niño puede sentirse motivado hacia el fútbol porque así tiene la oportunidad de compensar ciertas deficiencias en otros ámbitos, como puede ser el ámbito escolar.

Por otro lado, el niño puede sentirse motivado hacia el fútbol porque le ofrece la oportunidad de practicar un deporte y experimentar mejoras en su dominio lo cual representa una satifacción personal.

b) Motivación externa o extrínseca: Se relaciona normalmente con estar comprometido a realizar una actividad por tener una ganancia material o agradecimiento. Es decir, el interés no nace del propio individuo, sino que son las consecuencias que sabe que seguirán a su conducta las que le motivan a realizarla. Hay algo externo que nos mueve a una determinada actividad.

Por ejemplo: El niño no nos llega con una excesiva motivación hacia el fútbol puesto que sus padres le han sugerido que practique este deporte, pero las actuaciones de su entrenador hacen que se sienta motivado realmente. El entrenador alaba su esfuerzo y el niño se siente satisfecho, se divierte. El entrenador hace que se sienta seguro. En definitiva, fomenta la motivación en el niño.

Todo esto nos está indicando la importancia del papel del entrenador cuando se habla de motivación. Por lo tanto, el entrenador debe plantearse cómo motivar a los alumnos. Tener presente la importante incidencia de los factores incluidos en este capítulo.

MEJORA DE ACCIONES Y ACTITUDES

Con lo expuesto hasta ahora sobre la motivación queda claro que una conducta puede ser controlada por sus consecuencias en el medio.

Cuando a una respuesta le sigue una consecuencia agradable (reforzadora), aumenta la probabilidad de que esta respuesta se repita en otros casos.

Hay dos maneras de relacionar la conducta con las consecuencias del medio; se pueden incluir nuevos estímulos o se pueden retirar otros que ya existían.

Estos estímulos o consecuencias que siguen a la conducta y que hacen que ésta se mantenga o que tienda a desaparecer se denominan reforzadores.

Estos reforzadores pueden ser, como ya se ha dicho, extrínsecos (externos al individuo, como un gesto de aprobación del entrenador), o intrínsecos (internos del individuo, como el sentimiento de orgullo que experimenta el niño que ha hecho bien una cosa).

Nos centraremos en los extrínsecos, ya que es en éstos donde la actuación del entrenador puede incidir más directamente.

Estos reforzadores pueden ser:

Positivos   Negativos

Reforzadores positivos

Los reforzadores positivos son consecuencias agradables.

Por ejemplo: el niño que realiza un tiro de forma correcta y el entrenador le dice "¡Muy bien, lo has hecho perfecto!"

Reforzadores negativos

Son consecuencias desagradables que siguen a la conducta realizada que hacen que esta tienda a disminuir. Vienen a ser un equivalente al castigo.

Por ejemplo: el niño que comete un error al dar el pase a un contrario, y el entrenador se enfada con comentarios como "¡lo has hecho fatal!, ¿que no ves al contrario o qué?"

Teniendo en cuenta estos procedimientos, hay que señalar la importancia que tiene la información que da el entrenador a sus jugadores sobre las actuaciones y ejecuciones que han realizado (feedback).

Esta información debe darse tanto en las acciones correctas como en las incorrectas. No debemos caer en el error de dar información a los niños sólo cuando lo han hecho mal.

– Debemos aprovechar las actuaciones positivas para poner en conocimiento del niño que lo está haciendo bien, o dicho con otras palabras, aprovechar los aciertos para reforzar esa conducta.
Ésta será una poderosa herramienta para fomentar la motivación en los alumnos.
– No podemos limitarnos a dar información negativa; es decir, no podemos utilizar exclusivamente reforzadores negativos, ya que iría en detrimento de la motivación de los alumnos.
– En una situación difícil a nivel disciplinario nos podemos ver dirigidos hacia la utilización del reforzador negativo. Hemos de ser prudentes en la utilización de este procedimiento, ya que comporta

ciertos riesgos que se minimizan utilizando métodos complementarios como:
- Exponer al niño nuestro punto de vista provocando en él el análisis de su comportamiento o actuación.
- Utilizar estrategias de negación del reforzador positivo. Por ejemplo:Podemos encontrar casos que presentan comportamientos inadecuados justamente para llamar la atención de su entrenador. Cada vez que el entrenador le riñe, no hace otra cosa que reforzar la actitud del niño, lo que implica que continúe esta conducta, ya que es la forma que el entrenador se fije en él. Una estrategia podría consistir en no prestar atención al niño y reforzarlo mucho cuando se comporte bien.

Con ello reiteramos la importancia de reforzar positivamente a los niños sin "recortar elogios".

- Es preciso aprovehar el esfuerzo empleado por los alumnos, reforzándolo debidamente. Así daremos opción a que los niños menos habilidosos vean reforzada una actitud correcta.
- La infomación sobre las actuaciones negativas debe ser básicamente correctiva. Comunicar a un alumno que no lo ha hecho bien no le supone un elevado beneficio si no provocamos otra situación en la que pueda intentar hacerlo mejor otra vez, o le ayudamos a encontrar la causa del error.
- La utilización de reforzadores negativos puede ser efectiva en la eliminación rápida de la conducta inadecuada, pero comporta un gran número de problemas que no lo hacen demasiado recomendable:
  - En ausencia de la persona que castiga, la conducta suele volver a aparecer, lo que nos indica que no es demasiado efectivo sobre la actitud del niño.
  - Si no se razona con el niño, éste no interioriza la conducta adecuada, y es fácil que perciba el castigo como una injusticia.
  - El castigo puede ir acompañado de la aparición del miedo que es productor de ansiedad. Así, el niño se sentirá inseguro, incómodo, y su nivel de motivación bajará, lo que es un peligro para la continuidad deportiva del niño.
  - El hecho de dar información sobre los errores a través de reforzadores negativos es un castigo; ridiculizar la actuación del niño, insultarlo, chillar y "abroncar" porque no le ha salido una acción, son claros ejemplos de castigo.

Estos tipos de castigos pueden provocar sentimientos de frustación, inseguridad, bajo concepto de sí mismo, antipatía hacia el entrenador, etc. Toda una serie de consecuencias que hacen sumamente desaconsejable la utilización de estos recursos.

PAUTAS PARA DESARROLLAR UNA PROGRAMACIÓN

Atendiendo a la motivación de los alumnos-deportistas, es necesario tener presente las pautas que se indican a continuación en el desarrollo de una programación.

Análisis de contexto

El objetivo de este análisis es adaptar el trabajo a realizar a lo largo de la temporada al grupo (equipo) que vamos a dirigir.

Este análisis implica una revisión a dos niveles:

1) *Medios:*

- Medios materiales a disposición.
  - Material (Conos, balones, petos, etc.).
  - Instalaciones (Tipos de instalación, tipo y calidad del terreno, etc.).
  - Tiempo disponible para entrenar (número de horas anuales, distribución semanal de las sesiones, etc.).
- Medios humanos - Colaboración de otros técnicos deportivos.
  - Entrenador auxiliar.
  - Preparador físico.
  - Psicólogo deportivo.
  - Médico.

2) • Determinación de los alumnos – Se trata de conocer el grupo tan a fondo como sea posible, determinando el grado de homogeneidad del mismo.
  - Básicamente los datos que se pueden tomar para recoger información son:
  - Número de deportistas.
  - Nivel de partida.
  - Equipo de procedencia.
  - Edad.
  - Sexo.
  - Ambiente socio-cultural y familiar.

Determinación de objetivos

El entrenador se debe plantear qué pretende que se alcance al final de la temporada. Otros capítulos de este libro representan una guía orientativa respecto los objetivos a conseguir según la categoría. No obstante, hay que tener en cuenta que para una total adecuación de los mismos deben ajustarse a las conclusiones obtenidas a partir del análisis de contexto.

Determinación de contenidos

Éstos han de ir dirigidos a lograr los objetivos.

Consiste en concretar los aspectos que se trabajarán a lo largo de la temporada.

Metodología

El entrenador debe determinar los métodos y formas de trabajo que utilizará (ver los capítulos Formas Didácticas y Programación y Pincipios Metodológicos).

Criterios de evaluación

El entrenador debe constatar qué se ha aprendido y qué objetivos se han alcanzado. Igualmente debe establecer cómo evaluará a los deportistas y al equipo.

Esta evaluación no se ha de limitar a los progresos del jugador, sino que ha de constatar la eficacia del programa de trabajo y de la propia actuación al entrenador.

La información obtenida debe utilizarse para la mejora del planteamiento de trabajo, intentando rectificar todas las deficiencias que han podido ser detectadas.

Un último punto es el de tener cierta flexibilidad en la aplicación del programa de trabajo, en función de la evolución de los jugadores y/o del equipo, reajustando aquellos aspectos que así lo requieran.

LOS OBJETIVOS DE LA PRE-TEMPORADA

La pre-temporada representa una oportunidad inmejorable para centrarnos en un objetivo básico: el conocimiento del grupo.

Como se ha comentado con anterioridad, es analizar a qué grupo nos dirigimos y cuáles son sus características.

Partiendo de esta información podremos adecuar la programación a los intereses, necesidades y capacidades reales de nuestros alumnos.

De este modo tendremos una guía perfecta para fijar los objetivos que se proponen a lo largo de la temporada.

Por lo tanto, el principal objetivo de la pre-temporada debe dirigirse a ajustar los objetivos de la temporada.

LA COMUNICACIÓN CON LOS PADRES

Teniendo en cuenta las edades con las que trabajaremos, cabe señalar la importancia del papel de los padres.

Nos centraremos en la importancia de éstos respecto a la fijación de objetivos de su hijo en el ámbito deportivo.

A menudo, los padres pretenden de su hijo unos objetivos diferentes a los que el niño tiene y a los que le plantea el entrenador.

Ocasionalmente, algunos padres pecan a nivel de exigencia excesiva. Esperan de su hijo un particular rendimiento que no es acorde con las capacidades individuales o con el momento de desarrollo en que se encuentra.

Con esto queremos decir que, a menudo las metas que marcan los padres son demasiado elevadas y fuerzan al niño a un ritmo que no es el adecuado.

Una exigencia excesiva acompañada de un esfuerzo forzado puede producir una desmotivación en el niño que, muy frecuentemente precipita hacia el abandono prematuro de la práctica del fútbol.

En este punto la incidencia del entrenador es básica ya que si mantiene una comunicación constante con los padres y expone los objetivos fijados con una argumentación convincente, es fácil que ajusten sus objetivos a los que se proponen al niño.

Por otro lado, esta comunicación mantendrá también informados a todos los padres y aportará información al entrenador sobre algunos de los aspectos referenciados en el análisis de contexto.

¿Cómo mantener esta *comunicación con los padres*?

Una aproximación interesante consiste en plantear reuniones.

Por ejemplo: en la pre-temporada se puede plantear una reunión en la que se establezcan las normas y criterios de funcionamiento del grupo en cuestión. De este modo, los padres saben de antemano cuáles son los objetivos y métodos. Si no están de acuerdo, tienen la oportunidad de escoger antes de que empiece la temporada. Por lo tanto, si mantienen al niño en el grupo, se deben ajustar a las normas de funcionamiento planteadas por el entrenador y pueden también aportar ideas interesantes e informar sobre la posibilidad de colaborar en la competición, en el desarrollo de diversas actividades, etc.

Otra opción consiste en ir manteniendo charlas individuales con los padres cuando éstos vienen a traer o recoger al muchacho al entrenamiento, en los desplazamientos para competir, etc. De este modo se puede tener un cambio de opiniones (informar sobre la evolución que sigue el niño, podemos enterarnos de cualquier problema importante de tipo personal, escolar, etc.).

La opción más interesante sería la de combinar las dos propuestas anteriores, añadiendo todas aquellas que se crean oportunas y que sea posible aplicar.

LA COMPETICIÓN

La competición es, sin duda, una situación generadora de estrés.

Es la situación donde los diferentes miembros implicados valorarán los progresos de los deportistas, tanto a nivel individual como a nivel de equipo.

Por un lado, es un punto de referencia válido para el entrenador de forma que pueda valorar hasta qué punto los niños son capaces de trascender a la práctica reglamentada los aprendizajes que han adquirido en situación de entrenamiento.

Por otro lado, el entrenador puede detectar posibles factores psicológicos que puedan interferir el rendimiento potencial de cada jugador. Es decir, será un medio donde se podrán valorar aspectos como la inseguridad, el miedo a la competición, el miedo al contrario, etc.

- Una premisa de la que ha de partir el entrenador, es enfatizar en la aplicación de los aprendizajes adquiridos más que en el éxito o victoria.
- Dar importancia al esfuerzo.
- Minimizar el valor de la competición, en el sentido que el valor del niño no se mida únicamente respecto a la competición.

- Adaptar el tipo de competición mediante el fútbol de 4, de 7, de 9 y de 11.

    Por otro lado, el entrenador tiene que ser un buen ejemplo. Debe servir de modelo positivo a los muchachos.

- Su comportamiento en la competición debe denotar educación y respeto hacia los demás: contrarios, árbitro, etc.
- Debe evitar gritar a los alumnos a lo largo de la competición.
- Puede ayudar a recordar algún elemento que ayude al niño a centrarse pero, siempre evitar los insultos y gritos descontrolados.
- La postura del entrenador debe favorecer que no se pierda la vertiente lúdica de la competición. El juego ha de ser diversión.

    Otra figura clave es la de los padres. Como se ha comentado anteriormente, hay que evitar que la postura de éstos promueva tomar la competición como una situación sumamente estresante, debido a las represalias que pueden aparecer después del partido. En este punto, volvemos a insistir en la importancia de la comunicación entrenador-padres.

    Finalmente, es fundamental fomentar el respeto hacia hacia los árbitros tomando como punto de referencia la actuación del entrenador que, en todo momento, ha de ser correcta y respetuosa. Igualmente, la comunicación con los padres debe insistir en este aspecto.

    El árbitro, como regulador de las normas, debe ser respetado, incluso cuando se equivoca.

CONSEJOS PRÁCTICOS

    Partimos de la idea que una característica importante del buen entrenador es ser un maestro eficiente. A modo de resumen, a continuación se exponen una serie de directrices que nos pueden ayudar a alcanzar este objetivo:

- Cuando lo que el entrenador ha de decir requiere la atención de los jugadores, hay que tener presente cuál es el nivel de motivación. Si los jugadores están excesivamente motivados, les será difícil controlar su atención. Espera a que el nivel de motivación sea más adecuado para dirigirte a ellos.

- Aprovecha las actuaciones positivas para que el jugador sepa que lo está haciendo bien. Hay que aprovechar los aciertos para reforzar la conducta.
- No te puedes limitar a dar solamente información negativa, a comentar los errores, porque perjudicará la motivación de tus alumnos.
- Controla la utilización del castigo. Piensa que tienes otros recursos muy efectivos para utilizar en situaciones difíciles.
- Aprovecha el esfuerzo de los jugadores para reforzar su actuación (así animas también a los menos hábiles).
- Cuando des información sobre las actuaciones negativas, piensa que para que ésta tenga utilidad, debe informar al jugador sobre cómo corregir el error o bien, debe ir acompañada de la provocación de otra situación donde el jugador tenga opción a corregirlo.
- Aprovecha la pre-temporada para conocer las características del grupo, así podrás adaptar mejor tu programa.
- No olvides la importancia del papel de los padres. Hazlos aliados tuyos para evitar cualquier interferencia.
- Respeta las diferencias individuales a nivel de desarrollo físico. Debes tenerlas en cuenta cuando fijes un determinado nivel de exigencia.
- Realiza un trabajo global de acuerdo a las edades y características generales del grupo, pero procura prestar atención a las diferencias individuales.
- Programa grupos de trabajo diferentes en función de estas diferencias individuales.
- Facilita información concreta, huye de la información ambigua o abstracta.
- Plantea sesiones que den pie a la búsqueda de situaciones, deja que los niños investiguen y resuelvan, déjalos crear.
- Limita la cantidad de información que quieras transmitir.
- Limita los términos técnicos teniendo en cuenta cuál es el nivel del grupo.
- Propicia la auto-evaluación y análisis de las propias actuaciones.
- Cuando organices juegos que impliquen colaboración y competencia, combina los grupos de manera alterna. No hagas siempre los mismos grupos de trabajo para facilitar una buena cohesión grupal.
- Muestra la valía de cada uno, incluso de aquéllos menos habilidosos.

- Evita el castigo cuando los niños cometan errores.
- Razona las decisiones que afectan a un individuo.
- Da tanta importancia al esfuerzo como al logro.
- Procura que todos los miembros del grupo se sientan bien, que el grupo se divierta.
- Procura competiciones adecuadas al nivel.
- Pon el énfasis más en el esfuerzo que en la victoria.
- Minimiza la importancia de la competición en el sentido de que el valor personal no dependa del resultado.
- Aprovecha los resultados negativos en la competición para estimular el deseo de mejorar.
- Procura que no se pierda la diversión en la competición debido a una presión excesiva.
- Muéstrate como ejemplo positivo en la competición: actitud de respeto y educación hacia los demás.

BIBLIOGRAFÍA

Enseñanza del fútbol

FRATTAROLA, C.: *Enseñanza de los Deportes Colectivos.* Temario del Curso Didáctica Deportiva, Centro de Estudios (C.E.D.) de Barcelona.
F.C.F. DGE: "Reglament Futbol de 7 jugadors". Barcelona 1991.
GARGANTA DA SILVA, J.: "Aspectos de preparação do Jovem futebolista". *Rev. Educ. Física e Desporto*, Horizonte, sep-oct. 1986.
MERCIER, J.: "El fútbol de efectivos reducidos. Reglas del Fútbol a 5". *Rev. EPS*, n° 87, París.
SANS, A.; FRATTAROLA, C.: "Batería de Tests aplicados al Fútbol – T.A.F."
WEIN, HORST: *L'insegnamento programato nel calcio.* Edizioni Mediterranee, Roma, 1988.

Prevención y cuidados de urgencia

BATTISTA, E. y col.: *Cuidados médicos del deportista.* Ed. Hispano-Americana, 1979, Barcelona.
ESNAULT, M.: *Football et streching.* Chiron, Collection A.P.S.,1982, Clamecy.
GROTKASTEN, S. y KIENZERLE, H. *Gimnasia para la columna vertebral.* Paidotribo, Barcelona, 1993.
KREJCI, V. Y KOCH, P. *Lesions musculaires et Tendineuses du Sport.* Editorial Masson, 1985, París.
KULUND, D.: *Lesiones del deportista.* Editorial Salvat, 1980, Barcelona.

414   Entrenamiento en el fútbol-base

NEIGER, H.: Los vendajes funcionales. Editorial Masson, 1990, París.
PETERSON, L. y RENSTROM, P.: Lesiones deportivas, prevención y tratamiento. Edito-
    rials Jims, 1990, Barcelona.
ZUINEN, Z. Y COMMANDRE, F.: Las urgencias del deporte. Editorial Masson, 1984,
    París.

Psicología

ANTONELLI, F.; SALVINI, A.: Psicología del Deporte. Miñón, Valladolid, 1978.
CRUZ y cols.: Apuntes Maestría de Psicología del Deporte. Universidad Autónoma de
    Barcelona e Instituto Nacional de Educación Física de Cataluña. Barcelona, 1990-92.
GESSELL, A y otros: Psicología Evolutiva de 1 a 6 años. Paidós Psicología Evolutiva.
    Barcelona, 1984.
PALACIOS, J.; NARCHESI, A.; CARRETERO, M. (Compilación): Psicología Evolutiva. 2.
    Desarrollo cognitivo y social del niño. Alianza Psicología. Madrid, 1991.
PALMI, J.: Psicologia aplicada a l'Activitat Física. Documentos INEF, 2. Barcelona, 1984.
TUTKO & RICHARDS: Psicología del entrenamiento deportivo. Augusto E. Pila Teleña.
    Madrid, 1984.
WILLIAMS, J.M.: Psicología aplicada al deporte. Nueva Editorial, Madrid, 1991.